日本の常識は、世界の非常識！

これで景気回復、安全保障は取り戻せるのか

高橋洋一
Yoichi Takahashi

徳間書店

まえがき

岸田首相が年頭会見で「賃上げ要請」したが、物価高に賃金上昇が追いつかない状況が続いている。コロナ前の経済活動を取り戻し、デフレ経済からの脱却、経済成長へと向かっていけるのだろうか。

アメリカやヨーロッパ各国はコロナで低迷した経済からいち早く回復へと向かい、インフレを抑える金融引き締めの段階となっているが、日本の経済状況は直近の国内総生産（GDP）などを見ても、依然回復途上だ。

これらの状況を正しく見ないで、マスコミや一部専門家は円安のデメリット、食料品の相次ぐ値上げばかり騒ぎ立て、マクロ経済の視点を無視しては日本の行方を見誤ることになる。

岸田政権は経済オンチともいえる反アベノミクスの姿勢を示し、「国債でというのは、未来の世代に対する責任として採り得ない」などと「防衛増税」や「異次元の少子化対策増税」に走ろうとしているように見える。

元財務事務次官もアベノミクス批判をしているが、安倍晋三・菅義偉政権が増税なしの100兆円に及ぶコロナ対策を行い、日銀が金融緩和を継続したからこそ、コロナ禍でも日本は世界トップの雇用を守り、大きな経済的落ち込みはなかった。

そもそも、アベノミクスの理論的基礎となっているのは、2022年にノーベル経済学賞を受賞したバーナンキ氏の理論である。マスコミや官僚（特に財務省）、一部専門家など反アベノミクスを煽る人たちは、マクロ経済の政策でも日本流ですべて通用すると思っているのだろうか。「埋蔵金」を使わせない財務省の論理によって、日本の外貨準備は先進国で突出した多さとなっている。また少子化対策として児童手当の増額が考えられているが、税と社会保障が一体運営されていないのも日本だけだ。そもそも、消費税を社会保障目的税としている国はない。

まさに「日本の常識は、世界の非常識！」と言えることがまかり通っている。

本書は、筆者が日々起こる出来事について、ネットなどでタイムリーに発信しているコラムを中心にまとめたものだ。日銀総裁の交代で政策変更はあるか、増税を目論む財務省と日本経済の先行き、ウクライナ戦争で変わる世界秩序、習近平独裁となった中国リスクなどなど、その時点で明らかになっているデータや事実をもとに分析考察している。筆者は数量政策学と世界標準のマクロ経済理論をもとにしているので、読んでいただければ、事態が進展してもその時点での分析、コラムの内容は間違っていないとわかるだろう。

4月28日、筆者は衆議院財政金融委員会と安全保障委員会の連合審査会において、参考人として意見陳述したが、その内容は本書に書かれているものだ。

読者の方々も、世界が激動しつつある中で自分たちの利権は手放したくない人々に騙されることなく、真実と未来を見抜く力を備え行動してほしい。

2023年5月15日

高橋洋一

日本の常識は、世界の非常識！　目次

第2章 「円安になればGDPが増える」当たり前の事実

第3章

「埋蔵金」は使わせない。あくまで「増税」に走る財務省の奇妙な論理

第4章 ウクライナ戦争で大きく変わる世界秩序

第5章 習近平独裁体制になった危うい中国

EU〝エンジン車容認〟で明らか　環境問題めぐる「ご都合主義」

中国がレアアース磁石技術を「禁輸」か　EV見直しとHV復権の好機に

学術会議「改革議論」の不可解　独立保つなら民営化

世界と比較しても奇妙な日本のアカデミー

装幀　井上新八
図版　浅田恵理子
写真　時事、AFP＝時事、EPA＝時事

第1章

日銀総裁交代で、日本経済はどうなる

日銀「植田総裁」人事で、これから起こることを予言しよう

●雨宮総裁案はなぜ潰れたか

政府は2023年4月からの日銀総裁に元日銀審議委員の植田和男氏、副総裁には氷見野良三前金融庁長官、内田真一日銀理事を起用する人事を固めた。黒田東彦総裁の任期は4月8日まで、雨宮正佳、若田部昌澄両副総裁の任期は3月19日まで。政府は人事案を2月14日に国会に提示し、衆参両院の同意を経て内閣が任命した。

実は2月初め、一部新聞で雨宮正佳副総裁を総裁にすると報じられた。その際、副総裁候補が報じられず、かなり不自然だった。しかも、官邸サイドから、打診はしていない、観測気球だと反応があり、他の新聞は追随できなかった。

その後、雨宮氏が固辞したという報道が出たが、総裁人事は遅くとも1カ月以上前に打

診しているはずなので、固辞というのはあり得ないだろう。

筆者は、２月初めの報道を本当に観測気球だったと思っている。もし、マーケットの反応が良好なら、雨宮総裁、植田副総裁、氷見野副総裁だったのではないかと邪推している。日銀としては、総裁ポストを絶対欲しいはずだし、雨宮氏は日銀プリンスとしてその人事路線に乗っていたからだ。

しかし、官邸の思惑とは違い、雨宮総裁報道でマーケットは円安にふれた。本来であれば円安はＧＤＰ増加要因で悪いことではないが、今の官邸は目先の物価対策にばかりとらわれているので円安は悪いと勘違いしている。このため、雨宮総裁案をとらず、総裁と副総裁を一人だけかえて、今回の案になったのだろう。また、氷見野氏が総裁では３期連続で財務省出身の総裁となり岸田政権は財務省の言いなりとの批判を受けるので、植田総裁になったというのが筆者の見立てだ。

もっとも結果として植田総裁はサプライズだし、学者出身で国際標準なので、国会で批判を受けることも少ないという岸田政権の判断だろう。自民党内には、アベノミクスを継承せよ、具体的にはこれまでの若田部副総裁を総裁にせよとの意見も根強かったので、それへの配慮からも植田総裁は学者出身で理解が得やすいというメリットもある。何しろ岸田政権は参院選後から今年にかけて支持率が低下しているので、国会より党内政局のほうがより心配だ。植田総裁人事で円高にふれたのも官邸には好都合だった。

一般的に中央銀行総裁に求められる条件は、①博士号、②英語力、③組織の統率、の3つだ。植田氏は①と②は申し分ない、③は金融庁長官を務めた経験もある氷見野氏と日銀プロパーの内田氏がカバーするのだろう。結果的には国際標準に近づいたといえる顔ぶれになった。

●日銀は事実上、政府の子会社

ただ、金融政策については、植田氏が総裁になっても政府と中央銀行が共有する方針に従うので、大きく変わらないだろう。

というのは、日銀は事実上、政府の子会社だからだ。

この「子会社」という表現をすると、マスコミその他は激しく否定的に反応する。安倍元首相が、暗殺される2カ月前の2022年5月9日、大分県での講演でこの表現を使ったら、一時大騒ぎになった。

その顚末は、筆者のコラム《財務省がマスコミを煽って火消しを図った「安倍元首相発言」、いったい何が問題だというのか》（2022年5月16日付）に書いている。そのときにも、安倍元首相から筆者に「マスコミはわかっていないね」という電話があった。

ちなみに、安倍元首相は回顧録で次のように書いている。

《〔質問者〕――いろいろ理屈はありますが、〔コロナ対策の〕一律10万円は、ポピュリズム（大衆迎合）でしょう。

〔安倍元首相〕そうかもしれません。でも、安倍政権は、ずっと大衆に迎合してきたわけではない。特定秘密保護法や、テロ等準備罪を創設する組織犯罪処罰法の改正など、非常に反対の多い政策もやってきたわけです。パニックを回避し、強制力のない政府の要請に付いてきてもらうためには、民の歓心を買わなきゃいけない政策だってあるわけです。経済を止めれば死者も出る。それは絶対に避けなければならない。

財務省の発信があまりにも強くて、多くの人が勘違いしていますが、様々なコロナ対策のために国債を発行しても、孫や子に借金を回しているわけではありません。日本銀行が国債を全部買い取っているのです。日本銀行は国の子会社のような存在ですから、問題ないのです。信用が高いことが条件ですけどね。

国債発行によって起こり得る懸念として、ハイパーインフレや円の暴落が言われますが、現実に両方とも起こっていないでしょう。インフレどころか、日本はなおデフレ圧力に苦しんでいるんですよ。財務省の説明は破綻しているのです。もし、行き過ぎたインフレの可能性が高まれば、直ちに緊縮財政を行えばいいわけです。》（安倍晋三『安倍晋三回顧録』中央公論新社、〔　〕は編集部）

なお、このくだりは、安倍元首相が財務省の抵抗を跳ね除け、コロナ対策を増税なしで行ったときのものであるが、その中で、やはり「日本銀行は国の子会社のような存在」と言っている。

●金融政策の本質をわかっていた安倍元首相

今回、植田氏の人物像について、マスコミから筆者に対する取材も多かった。一応対応するが、まず、子会社の社長人事なのだから、親会社（政府）の方針に従うという前提で話している。

なお、植田氏は、東大数学科卒、東大経済学部学士入学、東大経済学大学院、ＭＩＴ博士という経歴だが、筆者と東大数学科卒、東大経済学部学士入学までは同じだ。筆者はその後大蔵省入省だが、大蔵省時代はその経歴から（日銀審議委員時代の）「植田番」（マンツーマンで大蔵省の政策を説明）が多かった。

いずれにしても、日銀の金融政策の方針は事実上政府が主導するので、岸田政権が引き締め方向ならそちらに向かうことになる。

そこで、日銀総裁は、政府の方針を正しく理解する必要がある。

政府の方針は、政府と日銀の共同声明でわかる。今の共同声明は２０１３年１月に出されており、アベノミクスの根幹となっている。

そこで、インフレ目標２％がある。なぜ、２％なのか。それは、やはり安倍元首相の回顧録に書かれている。

《――かつてなく日銀の立ち位置に踏み込んだため、日銀の独立性を侵す、という批判が出ました。

〈安倍元首相〉世界中どこの国も、中央銀行と政府は政策目標を一致させています。政策目標を一致させて、実体経済に働きかけないと意味がない。実体経済とは何か。最も重要なのは雇用です。2％の物価上昇率の目標は、インフレ・ターゲットと呼ばれましたが、最大の目的は雇用の改善です。マクロ経済学にフィリップス曲線というものがあります。英国の経済学者の提唱ですが、物価上昇率が高まると失業率が低下し、失業率が高まると、物価が下がっていく。完全雇用というのは、国によって違いはありますが、大体、完全失業率で2・5％以下です。完全雇用を達成していれば、物価上昇率が1％でも問題はなかったのです。》（前出『安倍晋三回顧録』）

安倍元首相の回顧録は、そもそも金融政策をなぜ行うかも書かれており、百点満点の模範解答だ。

●2016年の植田氏の予想は外れた

なお、植田氏は、雇用より金融機関重視であり、リフレ派ではない。

その理由は、日銀審議委員だった原田泰氏がその著書のなかで、日銀がイールドカーブ・コントロール（日本国債のイールドカーブ〈利回り曲線〉を操作し、市中にお金を供給する金融緩和策）を導入した２０１６年9月のことを、次のように書いている。

《日銀は、さまざまな研究会を開催している。そのなかの1つ、9月30日に開催された第3回カナダ銀行・日本銀行共催ワークショップの終了後のパーティで、東大の植田和男教授は、通常の歓迎スピーチの機会に、わざわざメモを用意して、「長期金利の０％の金利のペッグ（マイナス金利政策とイールドカーブ・コントロールで、長短金利をある程度固定していることをペッグと表現した――筆者注）がハイパーインフレを引き起こす。金融機関経営が厳しくなり、金融仲介機能を壊して経済を悪化させる」と述べた。

私は、スピーチの順番を当てられていなかったのだが、すぐさま発言の機会を求めて反論した。「そもそも長期金利０％は2％インフレ目標を達成するためにしているのだから、2％に向けて物価が確実に上昇すれば金融政策は引き締めに向かう。いつまでも０％にしているわけではない。銀行の利鞘が縮小するのはトレンドで、必ずしも金融緩和をしているからではない。日本では事業会社が貯蓄超過で、２００兆円以上もの現預金を持っている。借りる必要がない。構造改革が一番必要なのは銀行だ。金融仲介部門が多すぎることがむしろ金融仲介機能を阻害している」と述べた。海外の出席者からは賛同を得られたが、残念ながら日本側の出席者からは反対も賛成もいずれの反応も得られなかった。》（原田泰『デフレと闘う――日銀審議委員、苦悩と試行錯誤の5年間』中央公論新社）

ここで植田氏は、イールドカーブ・コントロールを導入すると、ハイパーインフレになり、金融機関経営が危うくなると言っている。もちろん、その予想は大きく外れている。また、植田氏は、かつてリフレ派の岩田規久男前副総裁と日銀至上主義の元日銀の翁邦雄氏との論争を仲裁したことがある。客観的には岩田氏に軍配が上がったはずだが、それを痛み分けにしたくらいの「政治的判断」をしたこともある。この意味で、植田氏はリアリストである。当然、政府の方針に従うはずだ。

いずれにしても、日銀総裁人事は国会同意人事なので、以上の過去の発言と政府方針との整合性などを国会で質問したらいい。

・金融政策は何を目指すものなのか。

・インフレ目標2％を堅持するのか、その場合、なぜ2％なのか――経済学者用なら、N

ＡＩＲＵ（インフレを加速させない失業率）はいくつか、そのために最低のインフレ率はどうか、という聞き方もある。
・雇用と金融機関のどちらを重視するのか。
・イールドカーブ・コントロールを続けるのか、などなどだ。

その上で、政府と日銀の共同声明を一部でも変更すれば、アベノミクスの方向転換と考えていいが、変更なしでも、岸田政権の意向が、新日銀には色濃く反映されるだろう。それは、岸田政権が行った日銀総裁人事だからだ。要するに、人事権が事実上政府にある以上、どのように強弁しても、日銀は「政府の子会社」であり、政府の意向どおりに行動するわけだ。

岸田政権が反アベノミクスであることは、筆者のコラム（Ｐ36参照）などで示してきた。そうであれば、新日銀総裁は誰であっても、その職務を的確に遂行するだろう。逆にいえば、遂行にふさわしい人を政府は選んだとみるべきだ。

《歴代FRB議長》

◆2018年2月～

〈第16代〉 **ジェローム・パウエル** Jerome H. Powell

2020年のコロナパンデミックで経済が急激に萎むなか、政策金利を1.75%から0.25%に大幅に引き下げ、株価と経済は回復。その後、進行する高インフレ撲滅に向かっている。

銀行家、弁護士。財務次官、FRB理事を経て議長に。

◆2014年～2018年

〈第15代〉 **ジャネット・イエレン** Janet Yellen

前任のバーナンキの金融緩和路線を継続、経済を活性化させたと評価されている。

経済学者。FRB理事、副議長などを経て議長に。

2022年より財務長官。

◆2006年～2014年

〈第14代〉 **ベン・バーナンキ** Ben Bernanke

在任期間中にリーマン・ショックが発生。ゼロ金利政策などで、100年に1度と言われる危機から経済を立て直したとの評価が高く、オバマ大統領も再任した。2012年、FRB議長としてインフレターゲットを導入、実施した。

経済学者。2022年ノーベル経済学賞受賞。

◆1987年～2006年

〈第13代〉 **アラン・グリーンスパン** Alan Greenspan

経済アナリスト、経済学者。

「マエストロ」と賞賛されたFRB議長。

◆1979年～1987年

〈第12代〉 **ポール・ボルカー** Paul Volcker

14%にまで上昇した米国最大のインフレを止めたが、政策金利は20%に達し、株式市場は急落した(ボルカーショック)。

経済学者。ニューヨーク連銀総裁などを経て、FRB議長。

《歴代日銀総裁》

◆2023年～
〈第32代〉 **植田和男**（うえだ・かずお）
経済学者。東京大学経済学部教授、日本銀行審議委員などを経て、総裁。
過去には量的緩和策の効果に否定的な見解も。

◆2013年～2023年
〈第31代〉 **黒田東彦**（くろだ・はるひこ）
大蔵省／財務省出身。財務官、アジア開発銀行総裁を経て日銀総裁。

◆2008年～2013年
〈第30代〉 **白川方明**（しらかわ・まさあき）
日銀出身。日銀副総裁を経て総裁。

◆2003年～2008年
〈第29代〉 **福井俊彦**（ふくい・としひこ）
日銀出身。日銀副総裁を経て総裁。

◆1998年～2003年
〈第28代〉 **速水優**（はやみ・まさる）
日銀出身。日銀副総裁、日商岩井会長を経て総裁。

日銀・植田新総裁の「煙幕会見」やはり雇用より金融機関重視の姿勢か

日銀の植田和男新総裁は、就任後初となる4月10日の記者会見で、2%の物価目標について「できるだけ早く2%の達成を目指すと考えている。ただそう簡単な目標ではないということは認識している」と述べた。

長短金利操作やマイナス金利政策について「現状の経済、物価、金融情勢をかんがみると、現行の政策を継続するということが適当だ」とし、現行の金融緩和策の副作用について「副作用はあると考えているが、効果と副作用について十分考慮し、議論された上で導入されたのだろうと思う。副作用をどう考えるかは重い問題だが、直ちにまずい判断だったということにはならない」との見解を示した。

こうした発言などから、植田日銀は当面どう動くと予想されるだろうか。

中央銀行の記者会見は常に退屈なものであるが、植田日銀もその例に違わない。日銀の目的は、日銀法上「物価の安定」と「金融システムの安定」である。これらは、それぞれ日銀法2条と、1条1項、同2項に規定されている。もっとも、物価の安定が「雇用の確保」につながるのは世界の中央銀行では常識だ。また、金融システムの安定というが、世界の国でも中央銀行のほかに行政官庁、例えば日本では金融庁が金融機能の安定に努めているので、中央銀行固有の目的といえば「物価・雇用の安定」となる。

黒田東彦前総裁の最後の記者会見では、雇用の達成と物価目標の未達が強調され、金融システムへの言及があまりなかった。それと比較すると、植田新総裁の会見では、インフレ目標の達成は難しいと言いつつ、雇用への言及はなく、「金融システム」と何度も言っていた。これは黒田氏とはだいぶん異なっている。

それと「副作用」という言葉だ。これは黒田氏も使っていたが、要するに金融機関の儲けが出なくなることだ。

筆者は先に、元日銀審議委員の原田泰氏の著作を引用する形で、「植田氏は金融機関重視のスタンスかもしれない」と書いた。

実際に植田総裁の記者会見を聞いていると、雇用について言わず、金融システムの安定や副作用については言及することから、やはり雇用より金融機関重視かもしれない。当面は現行政策の変更はないが、長期的にみると、黒田日銀とは大きく変わる可能性は否定できない。

筆者が注目したのは、植田氏の会見の翌日、鈴木俊一財務相が記者会見で、「日銀が国債を買い入れる前提に立った財政運営を行うことが適切とは考えていない」と述べたことだ。

これは、安倍晋三政権と黒田日銀時代に、「政府と日銀の連合軍」という表現で行った金融政策・財政政策の同時発動を行わないということだ。

植田日銀は、安倍政権の大規模マクロ政策発動の遺産もあり、インフレ目標がすぐに手に届く位置にいるが、それでも「達成は難しい」と煙幕を張っている。これは政府による財政のサポートはないと観念しているのかもしれない。当面の動きはないということだろう。

「賃上げ要請」で経済オンチぶりを現した岸田首相

●「トリクルダウン」という俗説

岸田首相は２０２３年１月４日の年頭会見で、「この30年間、企業収益が伸びても期待されたほどに賃金は伸びず、想定されたトリクルダウンは起きなかった」として、「賃金が毎年伸びる構造をつくる」「物価上昇率を超える賃上げの実現をお願いしたい」と述べた。

一部では企業への賃上げ要請で、働く人々の給料アップにつながるのでは、と期待した向きもあったかもしれない。

しかし、岸田首相のこうした認識は妥当なのか。

物価上昇と賃上げの好循環は実現できるのだろうか。

筆者はこれを聞いて、キツい言葉であるが、岸田首相は何もわかっていないと残念な気持ちになった。

岸田首相は挨拶の中で、「トリクルダウン」という気になる言葉を使った。これは、富める者が富めば、貧しい者にも自然に富がこぼれ落ち、経済全体が良くなることを意味している。だがこうした経済理論は存在せず、俗説に過ぎない。実証分析でも、トリクルダウンはほとんど検証されていない。

経済政策を変更したとき、それと同時に効果が波及するが、その効果が出るには時間差がある。たとえばアベノミクスでは、金融政策の変更により予想インフレ率の上昇があり、その結果、実質金利が下がる。これが設備投資や雇用に好影響をもたらすとともに、為替が円安に変化して純輸出を増加させる。

左図は、10年ほど前の筆者のコラム「自民党の公約のボロも攻めきれず!? アベノミクス批判で二極化する各党の経済政策を検証する」で書いたものだ。

こうした様々な波及経路で経済を刺激するが、株価上昇や為替の円安が先行する。経済全体への波及が見えない人は、株価上昇から富裕層の所得が上がり、それが貧困層に回ってくる(トリクルダウン)と勝手に思ってしまう。

《金融政策の波及効果》

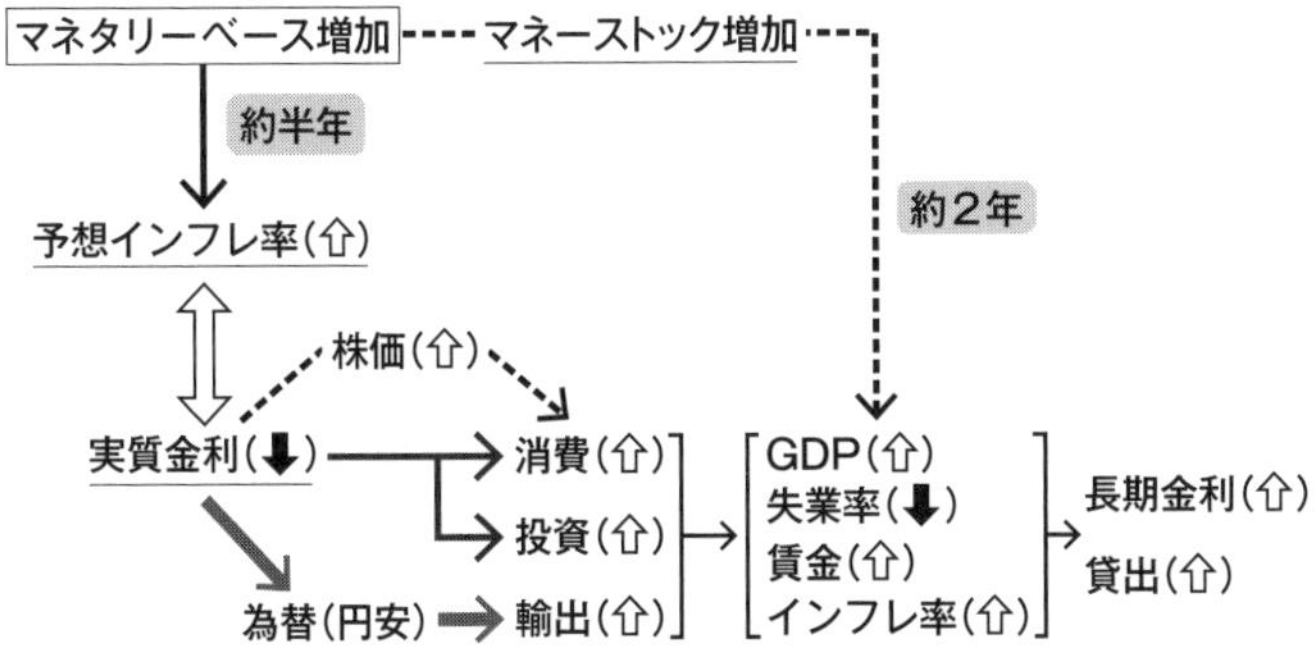

（出所）岩田規久男編『まずデフレをとめよ』（日本経済新聞出版2003.02）より

アベノミクス批判をする人は、この誤解そのままで、アベノミクスはトリクルダウンに依拠していると批判する。一方、経済理論がわかっている人はそもそもトリクルダウンなんて俗説はありえないと知っているから、こうした批判を相手にしない。

筆者の周りのクルーグマン、バーナンキ、スティグリッツといった経済学者たちはアベノミクスの基本的枠組みを評価していることからわかるように、トリクルダウンなど歯牙にも掛けない。しかし、経済理論に疎いマスコミや一部の論者は、アベノミクスがトリクルダウンと言い張ってきた。

今回の岸田首相の年頭会見で岸田首相がトリクルダウンに言及したということは、岸田首相の経済観も、アベノミクス批判をしてきたマスコミや一部論者と、マクロ経済の理解の点では五十歩百歩ということだ。

●どうすれば賃上げは可能か

物価上昇率を超える賃上げを実現するには、どうすればいいのか。

先の図をさらにわかりやすく説明してみよう。これは、大学学部レベルのマクロ経済学の基本になるが、復習しておこう。

以下に述べる話は、実をいえば筆者が故・安倍晋三元総理にしばしば説明していたことだ。

まず教科書的な説明から始めよう。大前提として失業率とインフレ率の間には逆相関関係があるという、いわゆるフィリップス曲線がある。つまり、インフレ率がマイナスのとき失業率は高く、その後インフレ率が高くなる（好景気になる）につれて失業率が低下するが、失業率には下限があり、インフレ率がいくら高くなっても失業率は低下しなくなる。そのことを表したのが、左の概念図「フィリップス曲線／インフレ率と失業率の関係」だ。

このフィリップス曲線上のポジションとしては、失業率が最低かつインフレ率が最低と

《フィリップス曲線／インフレ率と失業率の関係》

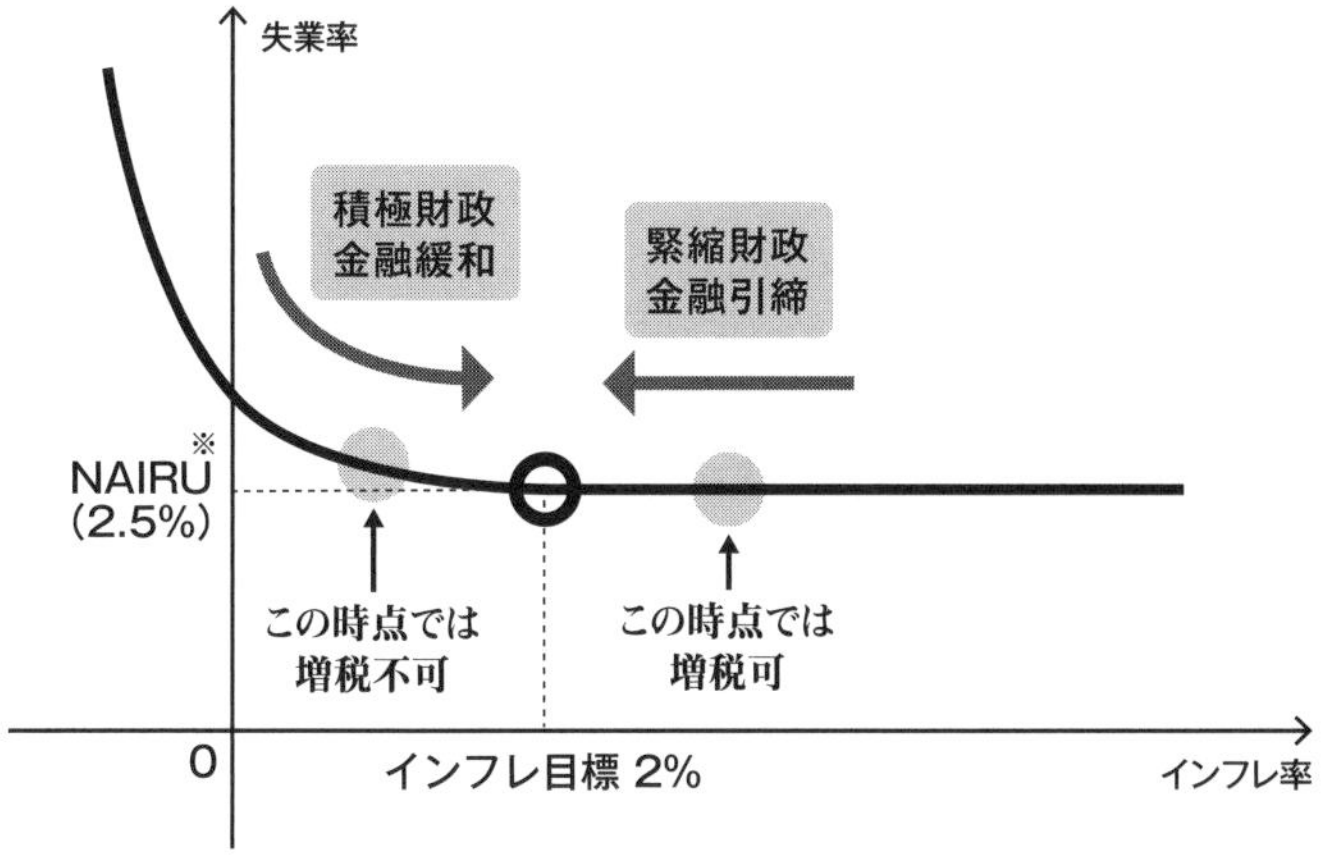

※NAIRUとは、インフレ率を上昇させない失業率

いう黒丸の状態が最適だ。

安倍政権時のデータでは、それは失業率2・5%程度、インフレ率2%程度だ。この下限となる失業率は、経済理論では、NAIRU（non-accelerating inflation rate of unemployment／インフレ率を上昇させない失業率）として知られており、筆者の推計では日本では2%半ば程度だ。図中で便宜的に2・5%としている。これでわかるように、インフレ目標2%を目指すという理論的な根拠にもなっている。

アベノミクスの根幹になっている異次元の金融緩和は、2%・2倍・2年。すなわちインフレ目標を2%とし、そのためにマネタリーベース（日本銀行が世の中に直接的に供給するお金）を2年間で2倍にするとされていた。

インフレ目標2％さえ決まれば、そのために必要な金融緩和を算出するのは難しくない。前日銀副総裁の岩田規久男氏によれば、筆者と後に日銀審議委員になった片岡剛士氏（エコノミスト）はそれぞれ別の方法によりマネタリーベースを2年間で2倍にするという同じ結論を導き出していたという。

いずれにしても、失業率についてNAIRU程度をキープしていれば、企業は賃金を上げないと人手の確保ができなくなる。その場合、経済が上手く回っているので、賃金上昇は企業にとって負担ではない。

どの程度の賃金上昇になるかといえば、インフレ率プラスその国の実力（今の日本だと、インフレ率プラス1～2％）で賃金上昇率は決まるが、プラスアルファ部分は、資本・労働生産性や技術進歩などによる。

ただし現時点の日本の経済状況は、失業率最低のNAIRUを達成できずに、図の黒丸より左にあると筆者は思っている。消費者物価指数（CPI）で測ったインフレ率では黒丸より右側にあると言いたい人もいるだろうが、マクロ経済ではインフレ率はGDPデフレーターで見るほうが自然だ。

２０２２年７—９月期でＧＤＰデフレーターの前年同期比は▲０・３％であり、２％にはなっていない。

●「増税と利上げ」では、「賃金上昇」には向かわない

こうした経済状況に呼応するが、ＧＤＰギャップがまだ相当額存在している。

現存するＧＤＰギャップを前提とすれば、**必要な政策は「追加財政政策と金融緩和政策を行い、ＧＤＰギャップを解消させた上で、若干の需要超過状態を維持する」ことだ。それを半年程度継続すると、失業率が下限となり賃金が上昇し始める。**

こう言うと、今インフレ率が４％近いのでさらにインフレを加速して危険という意見が出てくる。しかし、今のインフレは基本的には海外要因であり、本来参照すべきＧＤＰデフレーターはまだマイナスであることに留意すべきだ。

筆者の言うことは、失業率についてインフレを加速させない程度の下限に維持するとの**マクロ経済原則を言っているにすぎない。**しかしそれに至らずに、望ましい追加財政政策と金融緩和政策とはまったく方向の違う「増税と利上げ」をしようとする岸田政権は、ま

さに経済オンチだ。これでは賃金上昇は期待できない。

現状は、増税不可かつ利上げ不可の状況なのに、岸田政権では増税しようとしているし、利上げも既に実施した（昨年12月）。これは経済を最適点の黒丸からどんどん遠ざかる方向に作用する経済政策だ。

そうなると、一定期間後に、失業率がちょっとずつ上がってくる。失業率が上がるとどうなるか。企業経営者からみれば、余っている労働力を使えば良いわけだから、賃上げをしなくて済む。

以上のように、マクロ経済の原理原則を理解していれば、岸田首相の「お願い」はとんだ的外れだとわかる。失業率をＮＡＩＲＵ程度、つまり経済を黒丸状態にするのは、政府の責務であり、そうした環境整備ができてこそ、インフレ率を超える賃金上昇が実現できる。そうした政府の責務をやらずして、無理難題を民間経営者に「お願い」してどうなるのか。


こう言うと、安倍政権の時にも、「お願い」していたではないかという反論もあるかもしれない。しかし、アベノミクスでは、マクロ経済運営は、失業率をＮＡＩＲＵ程度、つ

《主要国の名目賃金・実質賃金の推移》

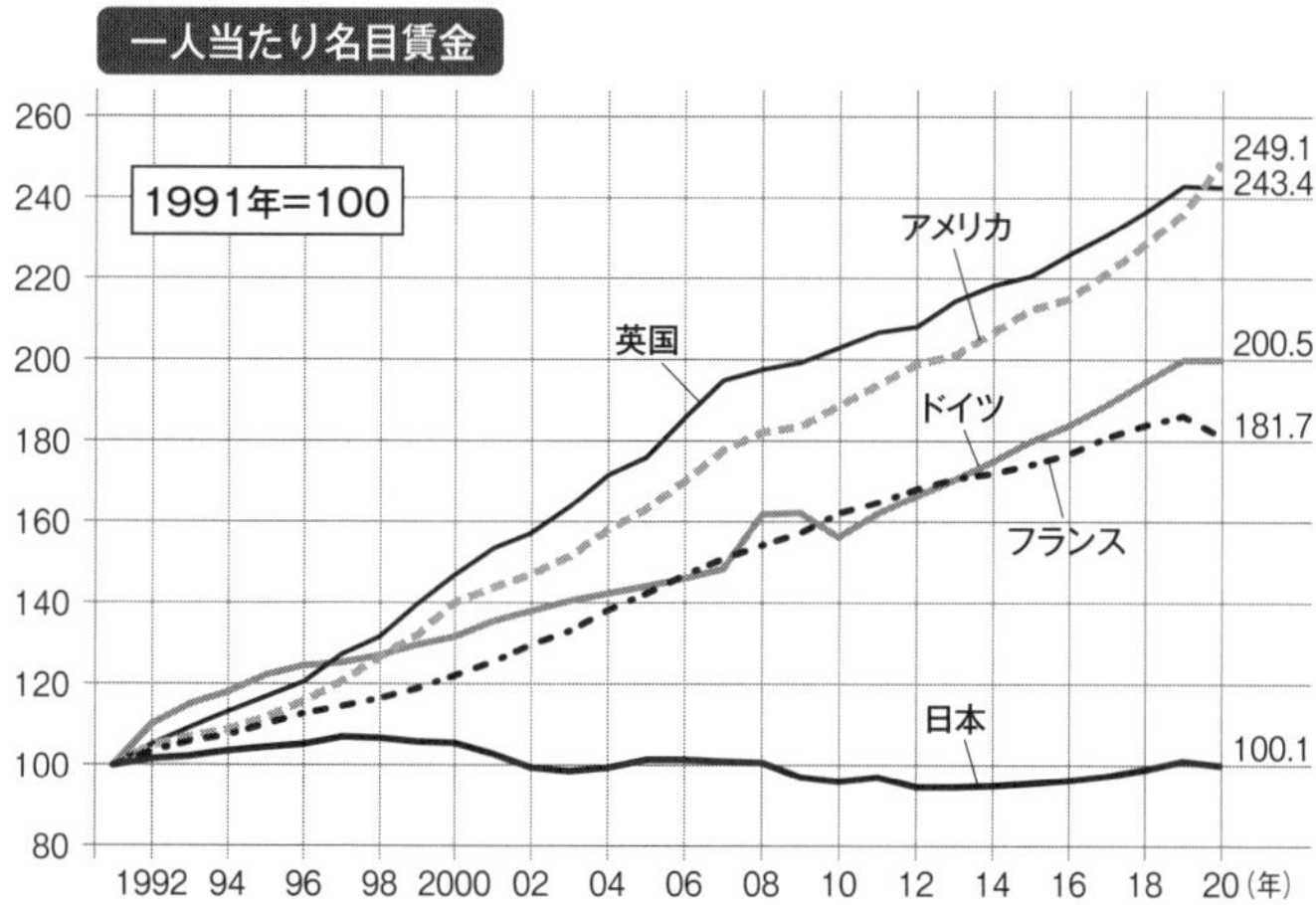

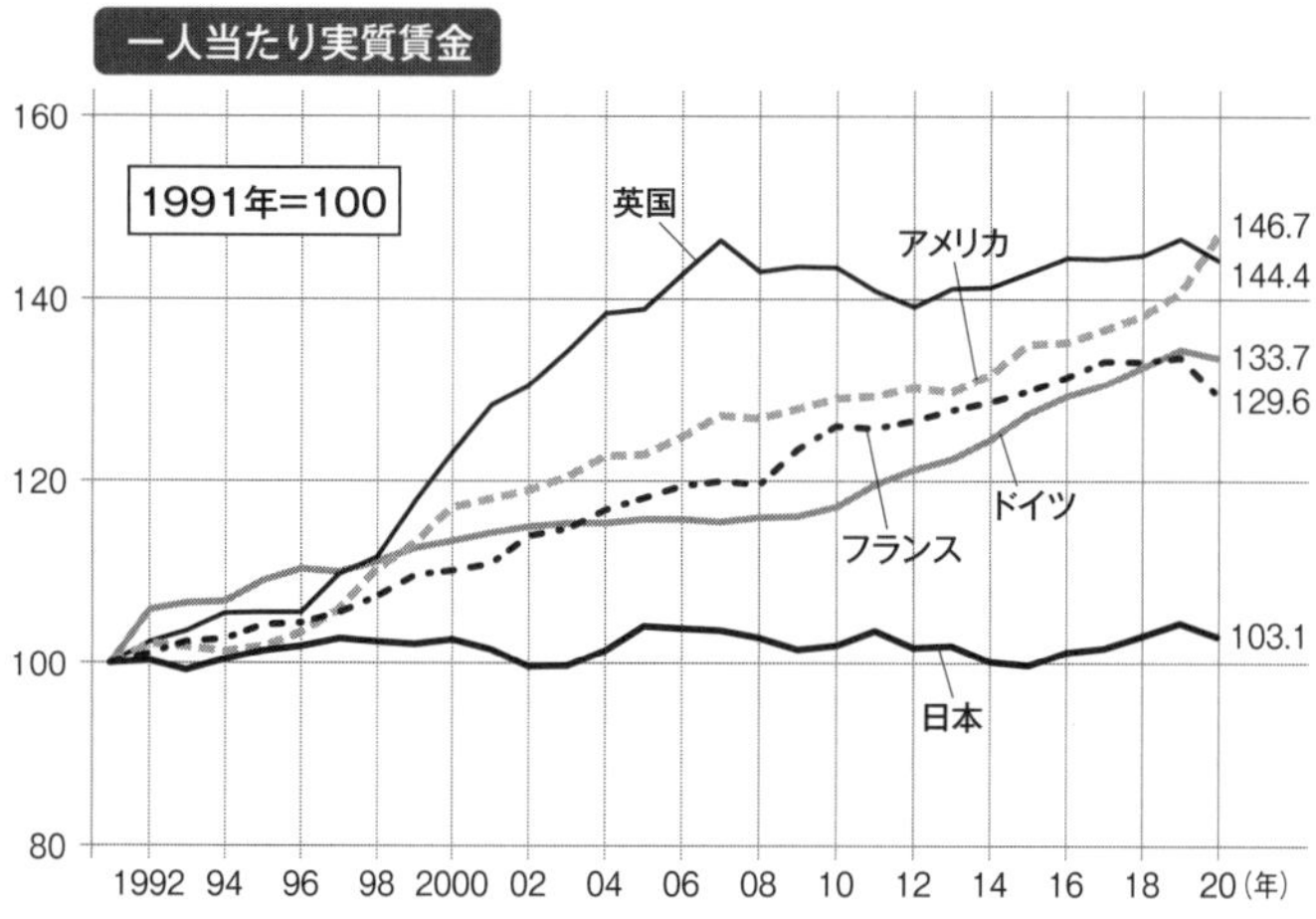

（資料）OECD

まり黒丸を目指して行っており、増税や利上げは行っていない。

しかも、安倍政権での「お願い」の季節になると、安倍元首相から筆者のところに電話があり、「高橋さん、今度はどの程度賃金を上げられますか？」と聞かれたものだ。

経営者にとって無理のない賃上げがどの程度できるかは、前年の失業率などに依存するので、筆者はその都度経営者にとっても無理のない数字を安倍元首相に申し上げた。

NAIRU状況を作らずに、それとは真逆の方向の利上げ、増税をやりながらの岸田政権の賃上げ要請は、安倍政権とはまったく違う方向だ。

岸田首相は、経済の好循環というが、初手で増税と利上げでは「悪循環」になってしまう。

岸田首相の失策で、アベノミクスは潰えた

●アベノミクス10年を振り返る

安倍・菅政権では、民主党政権で決めた消費増税以外は、極力増税を回避してきた。新

《歴代政権の失業率低下と就業者数増加》

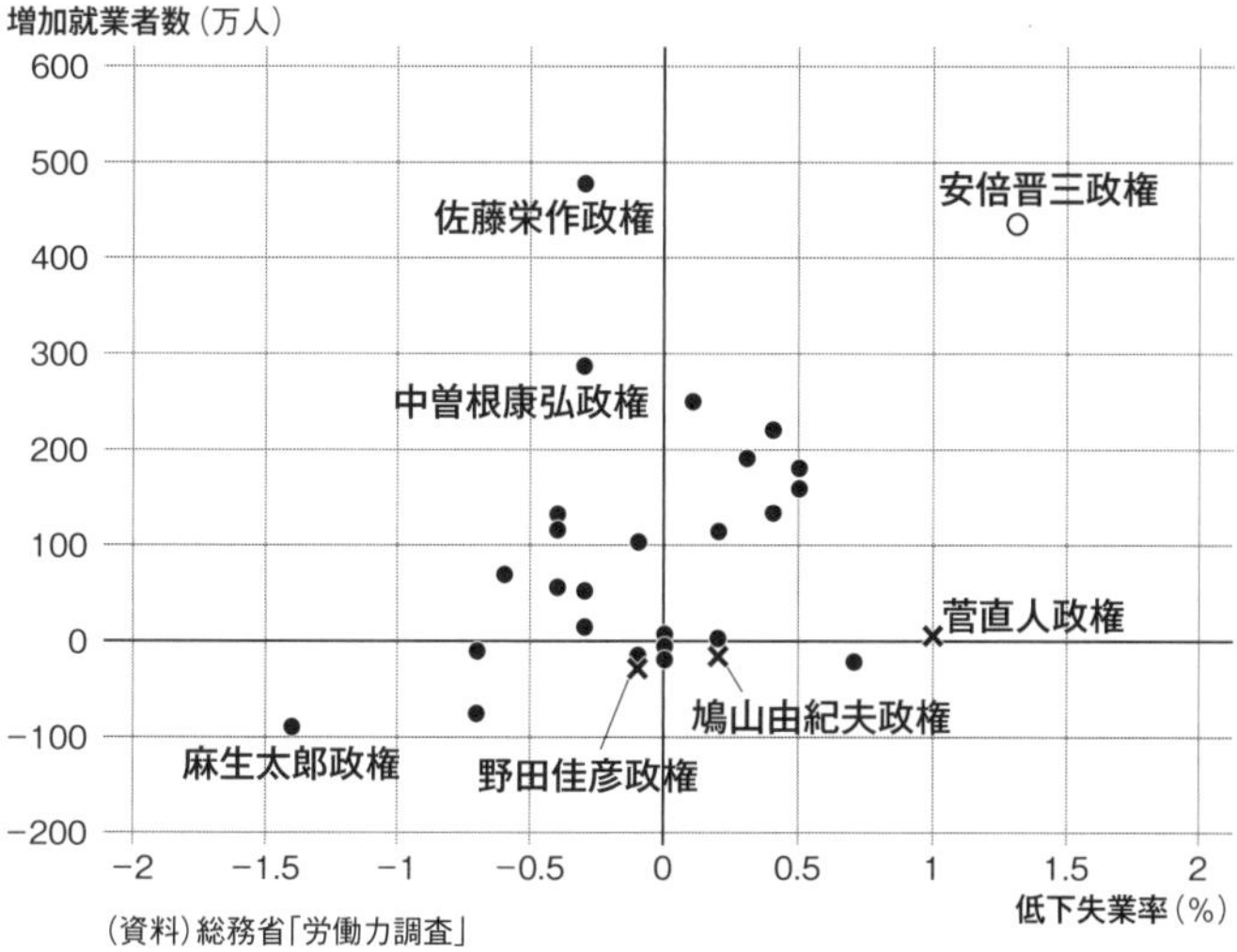

（資料）総務省「労働力調査」

型コロナ対策の１００兆円予算も、政府・日銀の連合軍（安倍首相の言葉）により、増税せずに行った。

ここで、アベノミクス10年を振り返っておこう。

アベノミクスの最大の成果は、雇用の確保だった。筆者は安倍元首相と話す機会が多かったが、マクロ経済政策について、最低ラインは雇用の確保、その上に所得が高ければいいといつも説明した。そのために、財政政策と金融政策を使って、ＧＤＰギャップを解消しインフレを加速させない失業率（ＮＡＩＲＵ）を目指すというシンプ

《歴代政権の実質GDP成長率とインフレ率》

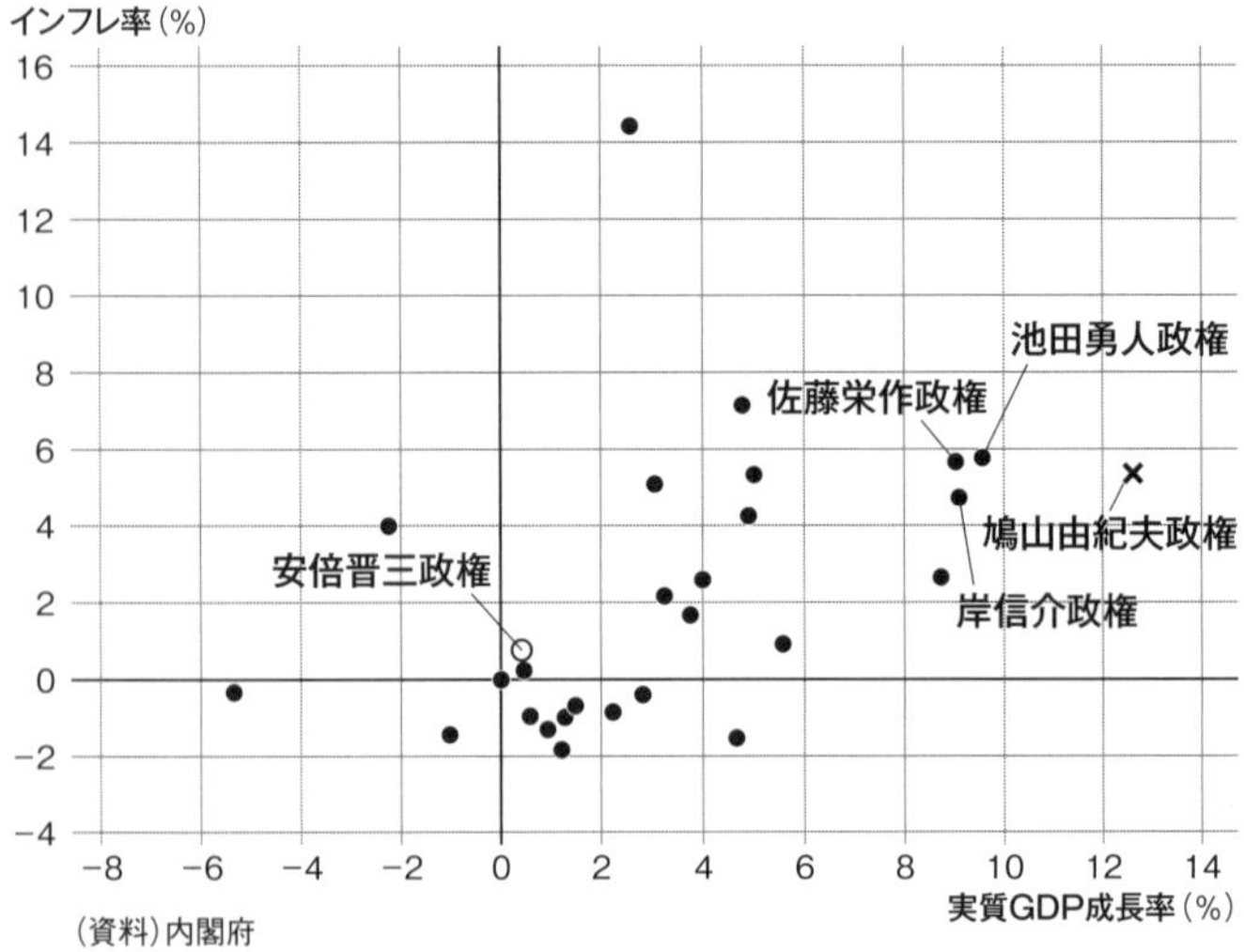

(資料)内閣府

ルなものだ。

そうしたマクロ経済を評価する筆者の基準もシンプルで、雇用の確保が出来れば60点、その上に所得の向上があれば40点を追加して１００点満点とするものだ。

アベノミクスでいろいろなことを言う人がおり落第点という人も少なくないが、その評価基準は筆者にはさっぱりわからない。

さて、アベノミクスを採点すると、安倍政権での雇用は歴代政権で最高である。雇用は失業率低下と就業者数で測れるが、安倍政権は４００万人以上の就業者数増、１・３％失業率を低下させた。こうした点から見れば、雇用は60点満点だ。

所得の観点ではどうか。所得は実質ＧＤＰ成長率で計るが、同時にインフレ率（名目ＧＤＰと実質ＧＤＰの比であるＧＤＰデフレーター）をみておく。安倍政権は、実質ＧＤＰは０・４％、インフレ率は０・７％であり、高度成長期の歴代政権と比べると見劣りがする。戦後ＧＤＰ統計のある鳩山由起夫政権以降の31政権においては、安倍政権の実質ＧＤＰ成長率は25位、インフレ率は２％からの乖離でみると７位。

いずれにしても、戦後政権での安倍政権のＧＤＰパフォーマンスはほぼ中位であるので、40点満点中20点である。

したがって、安倍政権の評価をすれば、雇用60点、ＧＤＰ20点で、計80点だ。

なお、日本がデフレに陥った１９９５年以降の13政権の中では、安倍政権は実質ＧＤＰ成長率で８番目、インフレ率では１位だ（安倍政権以外はすべてマイナス）。安倍政権は、デフレ経済にあって唯一デフレを脱却しかけた政権だった。

これが、数字から見たアベノミクスの評価である。

●アベノミクスの方向性が大転換

岸田政権では、金融政策でもアベノミクスと真逆の政策が実施されようとしている。日銀は、2022年12月20日、容認する長期金利の上限と下限を±0・25%から±0・5%程度まで拡大した。

会見で、黒田総裁は、事実上の利上げだとの指摘に対し、利上げではないと強調した。また、金融緩和は維持しているとし、景気にプラスになるとした。

しかしこの結果、市場の反応は長期金利が0・2%程度上昇し、為替は5円程度円高になり、株価は800円程度下落した。黒田総裁は利上げでないと言ったが、市場の反応は長期金利の急騰だった。

黒田総裁はそれ以前の22年9月26日の会見で、長期金利の上限引き上げは利上げに当たるのかとの質問に、「それはなると思う。明らかに金融緩和の効果を阻害するので考えていない」と明言していたが、そのとおりだった。

その結果、急な円高になった。黒田総裁は急な為替変動は好ましくないと言っていたが、このときの円高は急な為替変動だ。

日銀事務方の説明は、イールドカーブの歪みの是正だ。しかし、イールドカーブを是正して「金融緩和」するなら、残存8〜9年の国債を買えばいいだけだ。日銀はこのあまりに稚拙な説明資料により、実際は「利上げ」したかったという馬脚が現れた。いくら黒田総裁が利上げでないといっても、変動住宅ローン金利は既に上がっており、借入者の金利支払いはもうすぐなのでそろそろ誰の目にもわかるだろう。

また、筆者が再三指摘したように（詳細は第2章）、円安は日本経済全体のGDP押し上げ要因だったが、日銀の政策変更で円高になったので、株価が急落したのは当然だ。円安で企業の経常利益は過去最高となっており、円高が景気悪化につながるだろう。生産拠点の国内回帰の動きにも冷や水を浴びせかねない。

今後、住宅ローンの金利も上昇し、企業が融資を受ける条件も厳しくなるだろう。一方で、利上げは銀行など金融機関の経営には恩恵が大きい。今回の事実上の利上げは、雇用、GDPなどマクロ経済よりも金融機関を優遇した政策だといえる。

いずれにしても、市場から見れば、黒田総裁は従来の発言を翻した。しかし、これだけの政策方向の転換については、黒田総裁だけの独断とも考えにくい。岸田首相の了解があった考えるのが自然だ。

いよいよアベノミクスから大きく舵が切られた。筆者の予感は、再びデフレ、失われた20年の再来だ。

黒田日銀10年は雇用確保は歴代最高 海外紙は評価するも、残念な日本のマスコミ

黒田東彦氏は4月8日、日銀総裁を任期満了で退任した。歴代最長となった10年の在任期間だ。退任前の記者会見では、大規模な金融緩和策は適切だったとし、デフレでない状況をつくり、効果を上げたと述べた。

黒田氏は、金融緩和で名目金利を下げるとともにインフレ予想を高めることにより、実質金利（名目金利からインフレ予想を引いたもの）を下げることで、実体経済に影響を与えることを繰り返し説明していた。

これに加えると、失業率がNAIRU（インフレを加速させない最低水準の失業率）まで下げるのがマクロ経済政策の目標である。

さて、黒田日銀の10年間で、どこまでできたか。

財務省出身で消費税増税賛成というスタンスの黒田氏は、自らの口から言わなかったが、**2014年4月と19年10月の2度の消費増税がなければ、2%のインフレ目標はかなり早期に達成できたのではないか。**記者会見ではそうした質問をすべきだった。

14年4月の消費増税があっても、強力な金融緩和のおかげで19年にはデフレ脱却の環境が整っていた。もっとも、この期待は19年10月の消費増税と20年からのコロナ禍で吹っ飛んでしまった。

それでも、雇用の確保という金融政策の主目的からみると、歴代最高のパフォーマンスだ。金融政策は「dual mandate（2つの責務）」といい、物価の安定と雇用の確保を目的とする。

NAIRUを達成したいがために、過度の金融緩和を戒めるのが、インフレ目標だ（逆に言えば、インフレ目標をクリアするまでは金融緩和を続けてよい）。これは『安倍晋三回顧録』にも書かれている。日本のマスコミにはこうした常識がない人が多すぎる。

消費増税やコロナ禍でも雇用を確保できているのは、金融政策のたまものだ。日本は先進国で最もコロナ禍でも雇用を確保した国だ。

黒田日銀による大規模金融緩和で失業率が下がったことについて、「これは民主党政権時代の流れだ」という無理解もある。

しかし、詳しく見ていけば、15～64歳人口は一貫して減少している。民主党時代には、就業者数が減少し、それを上回るペースで労働力人口も減少したために、見かけ上、失業率が低下した。しかし、安倍政権では、就業者数が猛烈に増加し労働力人口を上回ったので失業率が低下した。それぞれの中身はまったく異なるものだ（P37図を参照）。

黒田日銀の業績について、雇用に着目するマスコミを探したが、残念ながらあまりなかった。**ただし、海外紙は黒田日銀を評価しているものばかりだ。**

雇用が確保されると、その後に賃金が上がり始め、インフレ率も上がる。マスコミの論調は、黒田氏が「インフレ目標を達成できずに残念だ」と言ったところだけを切り取り、雇用を400万人作ったということは無視している。

そもそもインフレ目標を達成していないではないか、というのは、金融政策の2つの責務をしっかり理解していないために出てくる批判だ。

元大蔵次官が『安倍晋三回顧録』に反論
財務省の「省益追求」の正体

「10年に1人の大物大蔵次官」といわれた齋藤次郎氏の「最初で最後」というインタビュー記事が月刊「文藝春秋」（2023年5月号）に掲載された。『安倍晋三回顧録』を読んで、あまりに財務省が悪者に扱われていることに我慢ならなかったようだ。その記事に書かれていることは単純で、債務を減らそうと一生懸命やっているのに、安倍さんから「省益」を追求し政権をも倒そうとしていると言われて、財務官僚は困っているということだ。

しかし、筆者から見れば、齋藤氏ほど財務省の志向を体現している人はいない。その意味で、最もわかりやすい人が出てきたといえる。

筆者は、大蔵官僚時代の1990年代前半に政府の貸借対照表（バランスシート＝BS）を作っている。それは政府の金融活動ともいえる財政投融資が危機的状況だったからだ。

政府の財政状況を見るには、ＢＳの借金残高だけ見るのでは不十分で、左側の資産も考慮し、具体的には資産を控除したネット借金残高で見なければいけない。これはファイナンス論・会計論のイロハのイである。しかし、当時の大蔵省は資産を対外的に明らかにすることには恐ろしく消極的で、筆者はある幹部から「ＢＳを口外するな」と厳命を受けた。それが事実上解けたのは小泉純一郎政権になってからだった。

小泉政権では、筆者は郵政民営化準備室・総務大臣補佐官として郵政民営化法の企画立案に携わった。一方、齋藤氏は、当時、民主党の小沢一郎氏と深い関係だったので、民営化阻止・国営化の立場だった。その後、自公から民主党への政権交代があり、郵政民営化法は改正され、事実上の国営化になった。そこで、齋藤氏は日本郵政社長となった。

これは、財政の見方と大いに関係している。というのは、筆者のようにＢＳで借金とともに資産を考えると、借金は返済しなければいけないが、その財源として資産売却になる。しかし、齋藤氏のように借金だけに着目すると、増税で借金返済となる。

一般論として言えば、資産の中には、天下り先の「米びつ」である出資金や貸付金が多く含まれている。増税は資産が温存されるので、官僚にとって好都合だ。逆にいえば、借金は返済せざるを得ないから、資産売却となれば天下りもできなくなる。民営化は資産売却の典型例なので、官僚が民営化を否定するのは、天下りを維持したいためであることがしばしばだ。

安倍さんが、財務省が「省益」を追求していると言うのは、例えば借金返済のために増税を主張するが、一方で、資産売却を渋り、天下りに拘泥することを言っている。

ちなみに、齋藤氏は民主党政権が終わると、自分は退任し、次の社長には再び財務省出身者が就任した。しかし、安倍政権に見つかりその社長は短期間で退任した。

もちろん、増税することで財務官僚の差配するカネが増えるのも財務省の「省益」だ。

国交省元次官の「空港施設」人事介入問題
完全民営化の動きに反対か

国土交通省の元事務次官が２０２２年12月、羽田空港などの施設管理などを行う「空港施設株式会社」（空港法に基づく指定空港機能施設事業者）に対し、国交省ＯＢの副社長を今年６月に予定されている役員人事で社長に昇格させるよう求めていたと報道された。

同社の乗田俊明社長が、元国交省次官の本田勝・東京メトロ会長から「（社長に就任した場合は）国交省としてあらゆる形でサポートする」と持ち掛けられたという。乗田社長らは、同社は上場会社であり、取締役候補者は指名委員会で決める手続きになっているとして要求に難色を示したとされる。

「空港施設」は１９７０年２月の設立以来、国交省ＯＢらが社長に就任しており、業界では天下り会社として有名だったが、菅義偉政権中の２０２１年６月に日本航空出身の乗田氏が初めて民間から社長に就任していた。乗田氏は「私の前までは国交省出身の方が社長を務めていたので、そういうこと（意向）かと受け止めた」という。

元次官の本田氏は、国交省ＯＢを社長に昇格させるよう求めたことを認め、「軽率な行動によるもので、反省しなければならない」と述べたが、国交省現役職員の関与は否定した。なお、国交省人事課は「省として関与していない。上場企業である民間企業の役員人事に対し、コメントする立場にもない」としている。

東京メトロは、１９４１年に設立された帝都高速度交通営団を前身とし、小泉政権の道路公団民営化などと関連して２００４年に特殊会社化されて発足した。当初は09年度までを目標としていた株式上場は先送りされていたが、菅義偉政権の21年7月、国交省の交通政策審議会が完全民営化の早期実現を求める答申を出した。

その結果、東京メトロの株式は政府が53・４％、東京都が44・６％保有しているが、その一部は27年度までに売却され上場されることとなっている。

上場方針が決まっている会社の代表取締役が、他の上場会社の社長として国交省ＯＢを推したというのはあり得ない非常識だ。

上場方針が決まったのと、代々天下り会社だった空港施設で民間人社長になったのは、菅政権の時期である。今回の社長人事の介入は、菅政権当時の動きに反対するものなのかもしれない。

ともあれ、上場を目指す会社の代表権のある会長が他の上場会社の社長人事に介入しただけで、コーポレートガバナンス（企業統治）の観点から見ればまったく失格だと言わざるを得ない。大株主である政府はどのような態度をとるのであろうか。

岸田文雄政権は、東京メトロの上場方針をどうするのか。元次官の会長をどのように処遇するのか。また、国交省は関与していないというが、本当か。上場方針はそのままなのか。この際はっきりさせてもらいたい。

「バーナンキ」のノーベル賞受賞を、メディアがあまり触れない理由

●プリンストンで見たバーナンキ氏の素顔

2022年のノーベル経済学賞に、FRB（米国の中央銀行・連邦準備制度理事会）元議長のベン・バーナンキ氏と、ダグラス・ダイアモンド氏（シカゴ大学栄誉教授）、フィリップ・ディビッグ氏（ワシントン大学教授）の3人が選ばれた。

バーナンキ氏の受賞理由は、1930年代の大恐慌の原因を探った研究成果「銀行の経営危機が金融危機を深刻化させる」が、リーマンショックやコロナ・パンデミック時の政策運営でも活かされたというものだ。ダイアモンド氏とディビッグ氏は、銀行は社会にとって重要だが同時に脆弱性を持つことをシンプルなモデルで解き明かし、バーナンキ氏の大恐慌研究に大いに関係しているとされている。

バーナンキ氏は、１９７５年にハーバード大学を最優等で卒業、79年マサチューセッツ工科大学で博士号を取得し、85年からプリンストン大学教授になっている。彼はもっとも尊敬を受けていた経済学者の一人であり、経済学部長の要職をこなしながら教育者としても多くの人望を集めていた。

筆者は98年夏から２００１年夏まで3年間プリンストン大学に在籍した。その当時のプリンストン大学は、金融政策研究では世界最先端を走っており、米国のみならず世界中から多くの経済学者が研究に訪れていた。同大には、アラン・ブラインダー（元ＦＲＢ副議長）、ラルス・スベンソン（後のスウェーデン中央銀行副総裁）、ポール・クルーグマン（後にノーベル経済学賞受賞）、マイケル・ウッドフォード（現コロンビア大学教授）らがいて、クルーグマンのジョークを借りれば「流動性の罠・インフレ目標陰謀団」の本拠地になっていた。

そこでの毎週のセミナーでは「なぜ日本がデフレなのか」など、興味深い話題について活発に議論していた。

バーナンキ氏は経済学部長の要職を務めつつ、金融論講義をしながら各種セミナーにも精力的に参加していた。難解な理論をわかりやすく話し、大学のカフェテリアでも気さくに応ずる彼の態度に、アカデミズムの香りを満喫できたし、その誠実な人柄はとても印象に残った。

彼は日本の高橋是清元首相の経済政策（世界恐慌による混乱から日本経済をいち早く脱出させた）を高く評価しており、日本の金融政策にも大いに関心を持っていたので、筆者はたびたびカフェテラスなどで政策論議をした。彼には公私ともにお世話になった。

●アメリカは彼がいたから乗り切れた

初めの出会いは「金解禁」を巡ってだった。1930年、日本が金の輸出を自由にして金本位制に復帰したことは、城山三郎の小説『男子の本懐』で美談にもなっている。

筆者は大蔵省入省時の研修の課題で、金解禁は金本位制なのになぜ美化するのかわからない、そうした政策に命をかけるのは理解できないという感想文を書いた。すると、当時の教官で後の事務次官になった方から「馬鹿な感想だ」と面罵された。

この一件をバーナンキに話したら、「君が正しい」と言われ、「金本位制に固執した国では十分な金融緩和策がとれず、デフレが深刻化した」という彼の論文を見せてくれた。それで、金本位制を放棄した国では思い切った金融緩和が可能となり、恐慌から早く逃れる

《金本位制への固執と卸売物価指数（WPI）》

金本位制に固執した国では
十分な金融緩和策がとれず、デフレが深刻化した

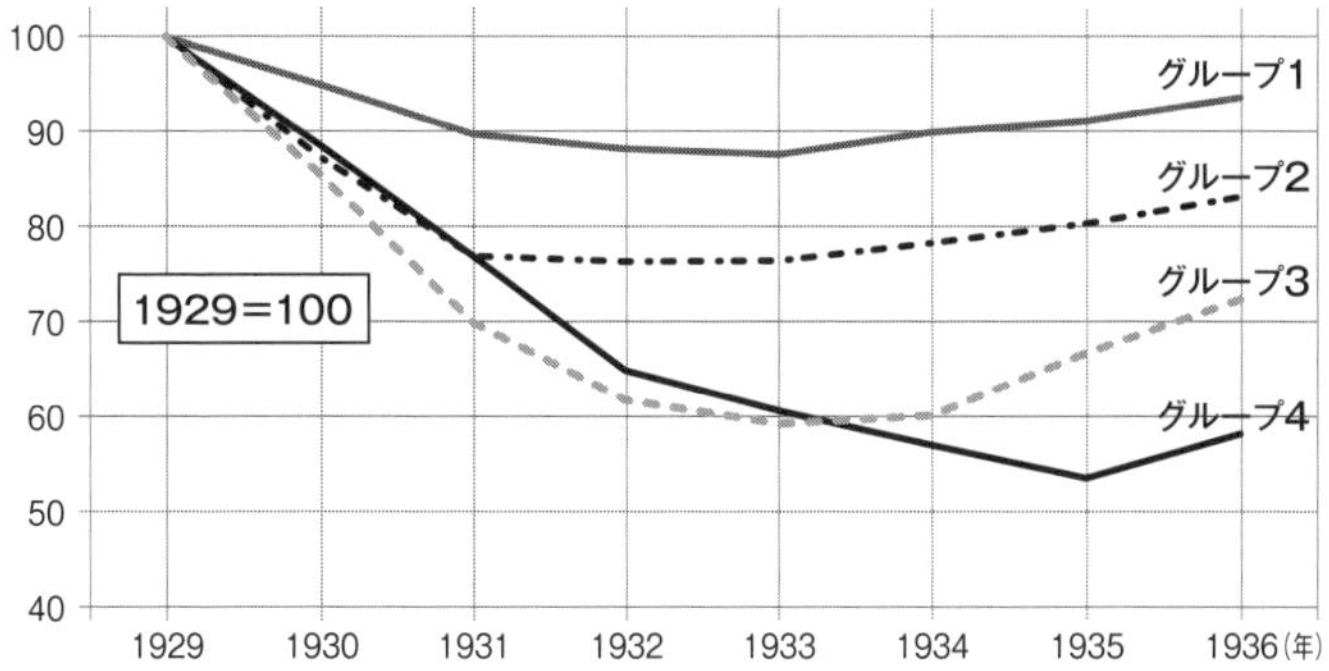

（資料）バーナンキの論文をもとに筆者が作成

グループ1は金本位制でないか金本位制からすぐ離脱。
グループ2は比較的早く離脱。
グループ3はグループ2より遅れて離脱。
グループ4は最後まで金本位制に固執。

ことができた。金本位制から早く離脱した国ほど、世界大恐慌から早く抜け出していることがわかった。

　上の図は、バーナンキの論文をもとに筆者が作成した図だ。24カ国を4つのグループにわけているが、第1グループは金本位制でないか金本位制からすぐ離脱、第2グループは比較的早く離脱、第3グループは第2より遅れて離脱、第4グループは最後まで金本位制に固執している。見事な計量分析である。

ＦＲＢ理事時代の２００３年、バーナンキは「名目金利ゼロ」に直面していた日本経済の再生アドバイスを行った。具体的な手法として、国民への給付金の支給あるいは企業に対する減税を国債発行で賄い、同時に中央銀行がその国債を買い入れることを提案している。

中央銀行が国債を買い入れると通貨が発行されることになるので、中央銀行と政府のそれぞれの行動を合わせてみれば、中央銀行の発行した通貨が給付金や減税を通じて国民や企業にばらまかれていることになる。これが、**いわゆる「ヘリコプターマネー」**だ。

これは、日本では酷く揶揄されたが、ノーベル経済学賞を受賞したフリードマンも提唱していた由緒正しい政策だ。

アメリカはバーナンキのおかげでリーマンショックもコロナ危機も乗り切れた。しかし日本では、リーマンショック時には白川日銀（バーナンキと逆で金融緩和せず）、東日本大震災時には民主党の復興増税と、悪夢の連続だった。その当時、筆者はバーナンキの提言を日本で実行するように主張していたが無駄だった。

安倍・菅政権になってやっと「政府・日銀連合軍」となって増税なしの１００兆円のコロナ対策を行ったが、これはバーナンキの教えが実行できたともいえる。その結果、雇用

《日本とアメリカのGDP推移》

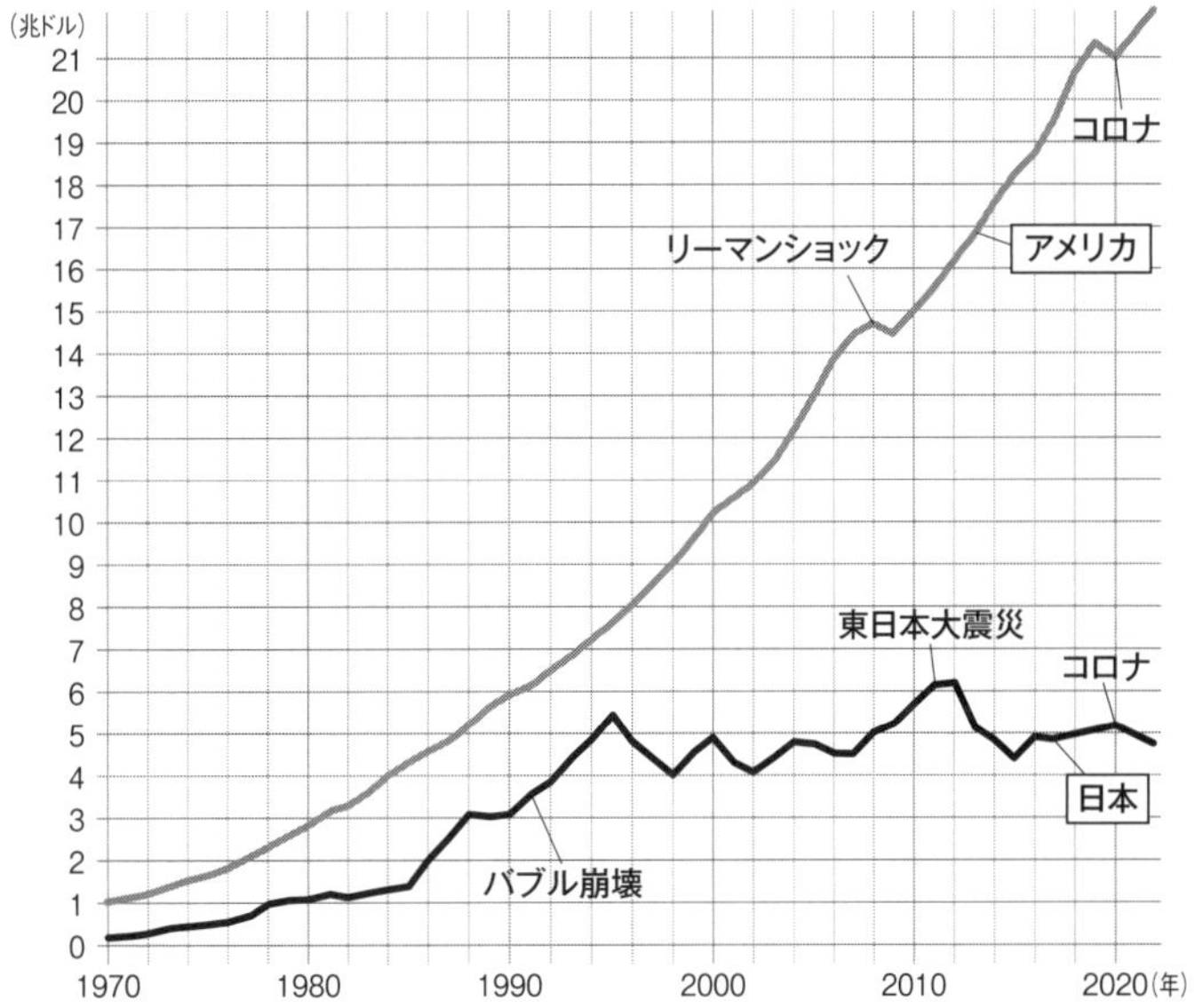

(資料)OECD資料などから筆者が作成

確保は世界トップとなった。

この「政府・日銀連合軍」についてて、一部の人からの誤解がある。一つは財務省からだ。もっともその根拠はなく、ケシカランと陰で言うだけだ。

もう一つは、その限界を無視する一部のいわゆる「ＭＭＴ派」と言われる人たちからのものだ。彼らは「国債は政府の借金だが、同時にそれは国民の資産なのだからいくらでも発行できる」と主張した。これはトートロジー（同じ言葉のくり返し）であり何の意味もないのだが、今でもそう考えている人がいる。

かつて、数千兆円も国債発行できると主張していた人もいたが、それでは政府のバランスシートの負債が大きくなり、資産を引いたネットの負債が大きくなって財政破綻確率が高くなる。それに借金をしすぎると金利が上がるが、それを抑えようと中央銀行が国債を購入するため紙幣を刷りまくれば、ハイパーインフレになりかねない。

それを指摘すると、今度は「インフレ目標まで国債発行できる」と言い方を変えた。それはまさに25年前にバーナンキが言っていた話だ。しかも、その当時ＭＭＴ派は存在しない。

するとＭＭＴ派は、財務省のホームページに「自国通貨建ての国債のデフォルトは考えられない」と書いてあるから、国債発行しても破綻しないと言う。

だが財務省のホームページに書いてあるのは〈日・米など先進国の自国通貨建て国債のデフォルトは考えられない〉という記述だ。

先進国とは財政破綻のない国をいうから、これはトートロジー文であり意味はない。だからこれを根拠にすることはできない。

何を隠そう、この文章には筆者は大いに関係している。筆者はその当時から、日本の財政破綻確率を計算していた。それは小さいものだったが、最近でも今後5年で日本が財政破綻する確率は1％程度と極めて低い。この数字は統合政府バランスシートなどから導かれる。

こうした数量計算のできないMMT派の経済学者はまずノーベル経済学賞をとれないだろう。ちなみに、ノーベル経済学賞のクルーグマンはMMTに対して辛辣に批判しており、バーナンキも聞けば答えは同じだろう。

●アベノミクスの理論的基礎はバーナンキ

いずれにしても、アベノミクスの理論的基礎はバーナンキにあるといってもいい。バーナンキも議会証言などでアベノミクスを高く評価していた。

もっとも、バーナンキは、かつては日銀を批判していた。

1999年に「日本の金融政策は自分でマヒに陥ってしまったのでは？」というちょっとおもしろいタイトルの論文を書いている。物静かであからさまに他人を批判するような人物ではなかったが、当時の日銀の金融政策については「異様に貧弱・下手」とはっきり言っていた。それが、アベノミクスになってから高評価になった。

ただし、消費増税には否定的だった。消費増税は財務省の横やりであり、アベノミクスの足を引っ張った。

それにしても日本の経済学界では、財務省に忖度したのか、バーナンキの評判はあまりよくなかった。「日経新聞」などのマスコミも同じだ。だから経済学界やマスコミは2022年のバーナンキのノーベル経済学賞についてあまり触れていない。**このあたり、「日本の常識は世界の非常識」の典型例だ。**

いずれにしても、もし安倍さんが生きていたらバーナンキのノーベル賞受賞をさぞかし喜んだだろう。

第2章

「円安になればGDPが増える」当たり前の事実

「32年ぶりの円安」が日本にとって大チャンスである理由

●メディアの印象操作に欺されるな

2022年10月21日、為替が1ドル150円近辺と、1990年以来の円安水準と報じられ、マスコミでは円安が大変と大騒ぎになっている。そこで筆者も大阪朝日放送『正義のミカタ』でこれを解説した。

そもそも、円安はGDPを増やすプラス要因だ。古今東西、自国通貨安は「近隣窮乏化政策」(Beggar thy neighbour) として知られている。

通貨安は輸出主導の国内エクセレントカンパニーに有利で、輸入主導の平均的な企業には不利となる。しかし全体としてはプラスになるので、輸出依存度などに関わらずどのような国でも自国通貨安はGDPのプラス要因になる。

もしこの国際経済常識を覆すなら、世紀の大発見だ。

《各通貨安が自国、他国のGDPに与える影響(3年以内)》

(%)

	日本	米国	EU	OECD以外	中国
円 10%安	0.4~1.2	▲0.2~0	▲0.2~▲0.1	▲0.1~0	▲0.2~▲0.1
ドル 10%安	▲0.3~0	0.5~1.1	▲0.6~▲0.2	▲0.1~0	▲0.6~▲0.3
ユーロ10%安	▲0.2~0	▲0.2~▲0.1	0.7~1.7	0.1~0.3	▲0.2~▲0.1

(資料)The OECD's New Global Model
https://www.ssc.wisc.edu/~mchinn/herve_oecdmodel.pdf

このため、海外から文句が来ることはあっても、国内から円安を止めることは国益に反する。

これは国際機関での経済分析からも知られている。ちなみにOECD(経済協力開発機構)の経済モデルでは、10%の円安であれば1~3年以内にGDPは0・4~1・2%増加する。その結果、税収増も望めるので、円安は抑えてはいけない。

それを裏付けるように、最近の企業業績は好調である。直近の法人企業統計でも、過去最高収益になっている。これで、法人税、所得税も伸びるだろう。

しかしマスコミ報道は、こうしたマクロ経済ではなく、交易条件の悪化などごく一部の現象のみを取り上げて「円安が悪い」という印象操作をしている。

円安がGDPプラスになるということだけで、経済全体の事情は示されている。そこで経済学的な議論はおしまいだ。

《円安による悪い影響、良い影響》

悪い影響

◆家計を圧迫！
1ドル＝150円台が続くと……
1世帯あたりの負担は平均で
年間約8万6000円増える
（みずほリサーチ&テクノロジーズの試算による）

◆企業の倒産が急増！
物価高による倒産は
159件（2022年4〜9月）
約7割が中小・零細企業

良い影響

●大企業の収益にとって追い風に！
経常利益は
約28兆3000億円！ 過去最大！
（4月〜6月の全産業、金融・保険業を除く）

●インバウンド需要の追い風に！
外国人観光客の爆買い

円安はトータルでプラス！ 一番儲かっているのは政府！
儲かったお金を困っている人や中小企業に回せ！

（資料）大阪朝日放送「正義のミカタ」（2022年10月22日）より

しかしテレビ番組では、一般の人にもわかってもらう必要がある。筆者が番組スタッフに「円安で起こる悪いニュースと良いニュースを探してくれ」と頼んだところ、上のような資料になった。

円安の結果で、一世帯あたりの年間負担が約8・6万円増、そして企業の経常利益は過去最大の28・3兆円という数字が並んでいる。

日本の世帯数は5400万なので、家計全体の負担は4・6兆円になる。一方、企業収益28・3兆円は、前年比17・6%増（2022年4―6月期の全産業の経常利益）、つまり4・3兆円プラスとなっているので、これで家計全体の負担をほぼ相殺できることになる。

実際の番組での話はこの通りではないが、さらに「政府の儲けがあるので、日本経済全体では大丈夫」と言った。儲けているカネで、困っている人への対策に回せばいいのだ。それは政治の問題でもある。

●バブル期は酷いインフレではなかった

そもそも、今回の円安は32年ぶりだという。32年前というと１９９０年でバブル絶頂・崩壊時だ。

その当時のマクロ経済指標はどうだったのか見ると、名目ＧＤＰ成長率７・６％、実質ＧＤＰ成長率４・９％、失業率２・１％、ＣＰＩ（消費者物価指数）上昇率３・１％だ。文句のつけようもない数字だ。バブル期というと酷いインフレと思い込んでいる人もいるが、そうではない。

テレビ番組でも、「32年前はウキウキしていたが、今は違うではないか」との質問があった。これには、「バブル時に取られた政策が間違いで、今の状態になっている」と答えた。バブル潰しのための金融引き締めが行われたからだ。

頭の体操だが、バブル当時に今のインフレ目標２％があったらどうなのか。

インフレ目標２％と言っても、昨今の欧米の例をみてもわかるように、ＣＰＩ上昇率が

4％くらいになるまでは金融引き締めをしないのが通例なので、金融引き締めをしてはいけないことになる。

当時、マスコミは金融引き締め（金利引き上げ）を行った日銀の三重野康総裁を「平成の鬼平」ともてはやして後押しし、日銀も従ったが、それは間違いだった。筆者の見解では、日銀はこの間違いを「正しい」と言い続け、その後も間違いが繰り返され、「平成不況」となる失われた30年の元凶になった。

●むしろ円高・デフレがまずかった

それを示すのが、次の図だ。カネの伸び率（マネタリーベース、日本銀行が供給する資金量の伸び率）と名目経済成長率はかなり関係している。

バブルの前、日本のカネの伸びはそこそこで経済成長も良かった。しかし、マスコミはバブルを悪いモノとしていた。

そしてメディアの論調に押されて、バブル潰しのために金融引き締めをして、それが正しいと思い込んだ日銀は金融引き締めを継続した。その結果、日本のカネの伸びは世界最低級となり、成長も世界最低級になってしまった。

《世界各国のマネー伸び率と名目GDP成長率》

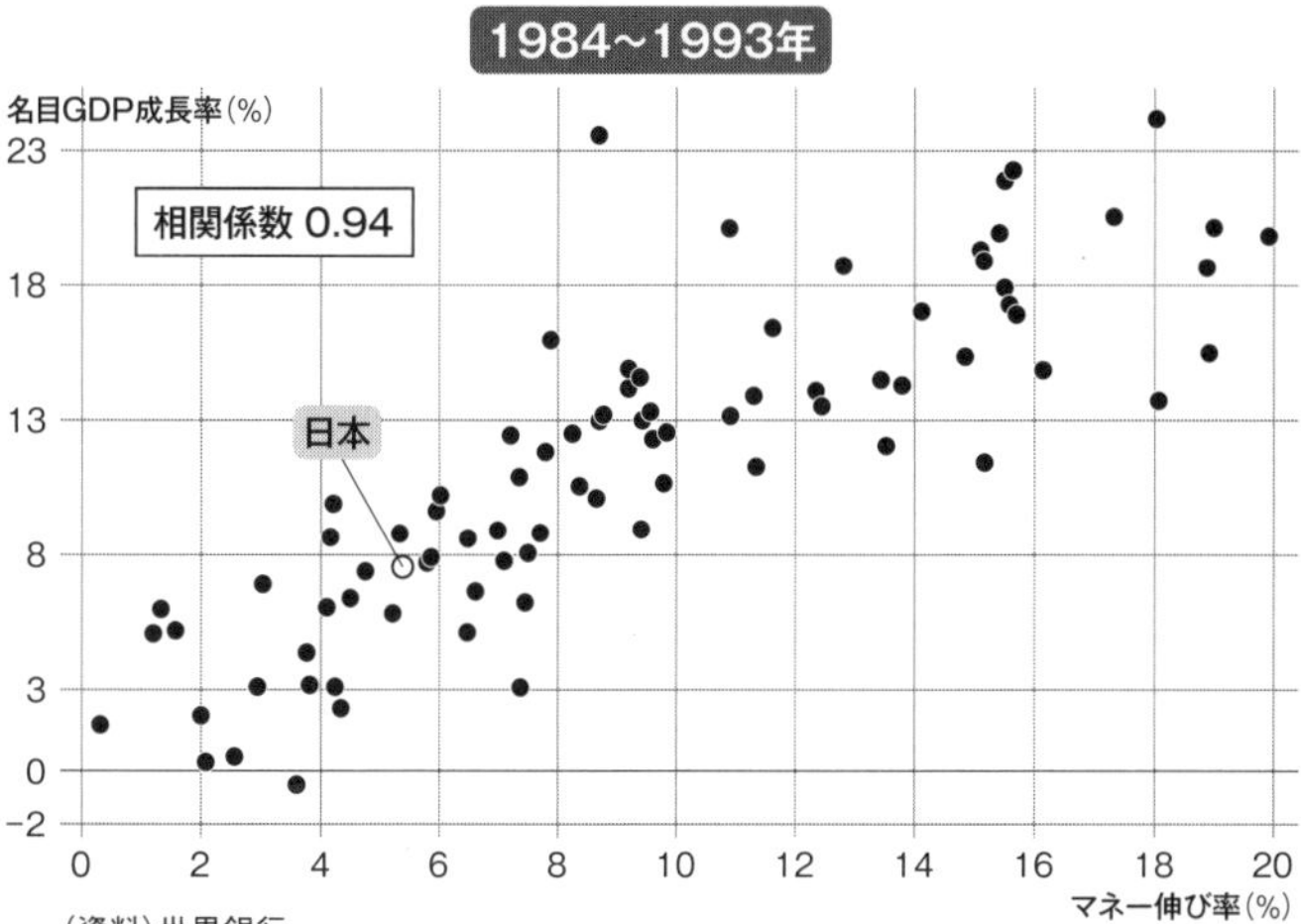

（資料）世界銀行

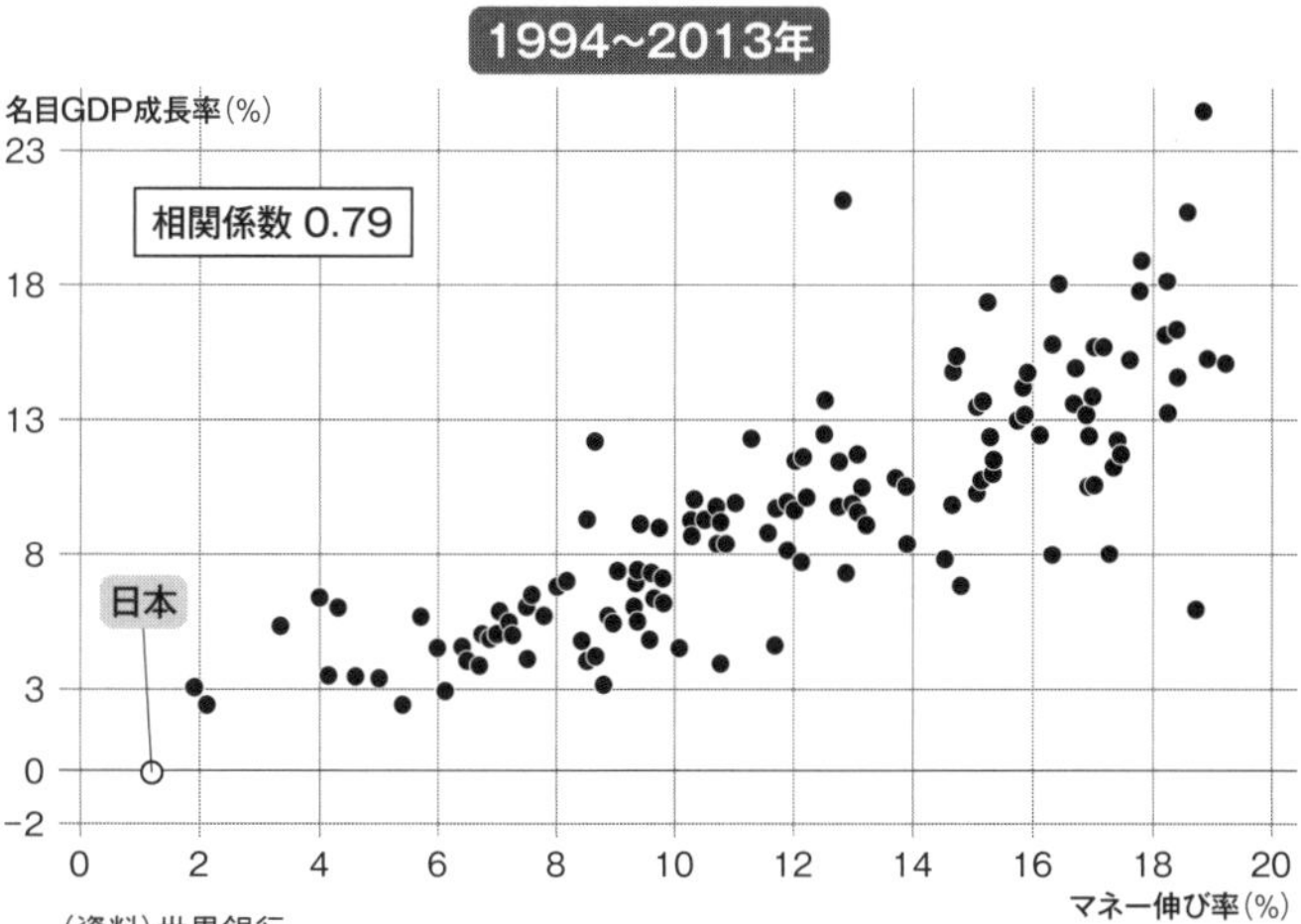

（資料）世界銀行

《世界各国のマネー伸び率と名目GDP成長率》
2013〜2021年

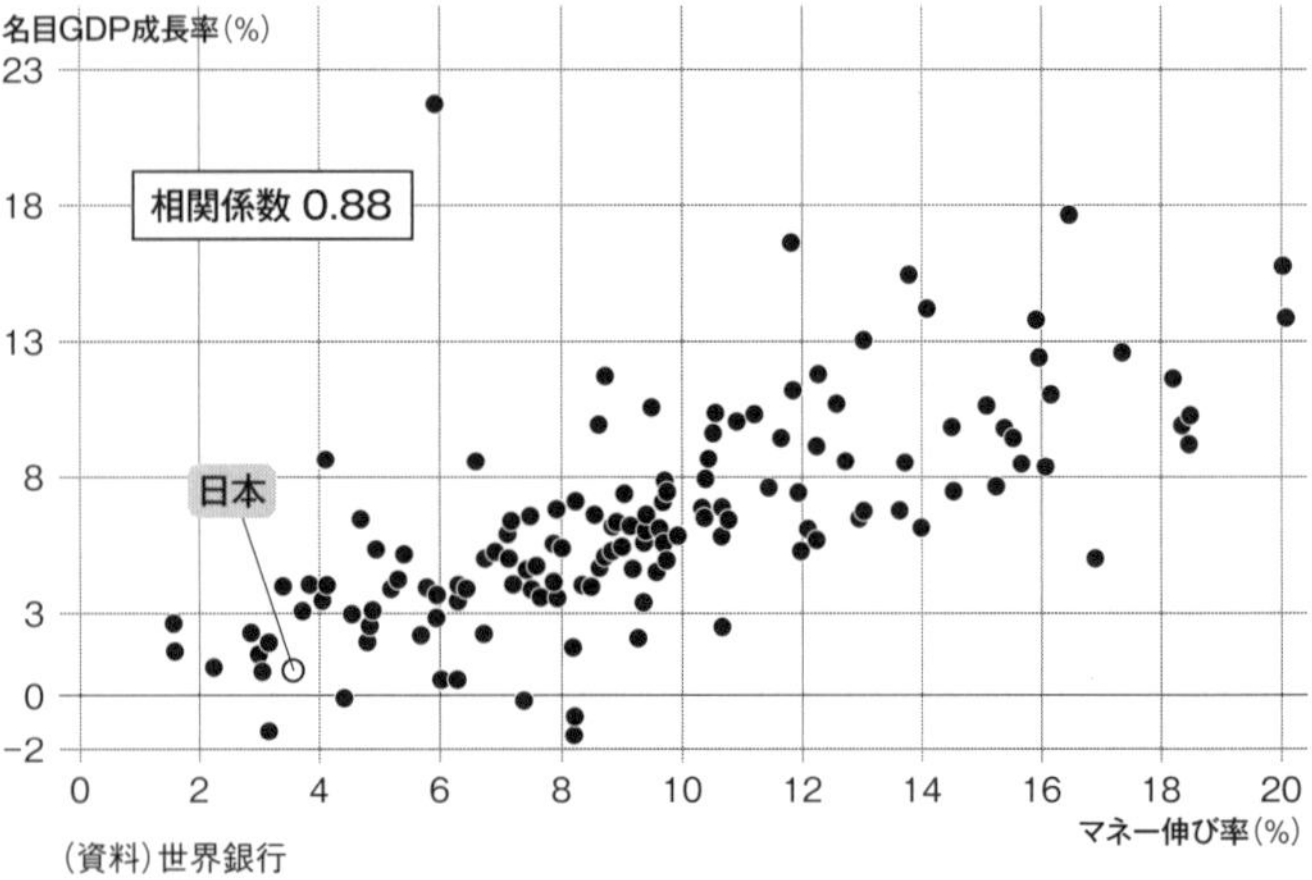

(資料)世界銀行

ちなみに、カネの伸びが低いとモノの量は相対的に多くなり、その結果、モノの価値が下がり、デフレになりがちだ。バブル潰しの結果、金融引き締めを継続したのが、デフレの原因である。

アベノミクスは、それを是正するものだった。カネの伸びは世界最低級からは脱出したが、まだ十分とはいえない。

また、日本のカネの伸びは、他国のカネの伸びに比べて低い傾向になるので、結果として円の他国通貨に対する相対量が少なくなり、円高に振れがちだ。なので、バブル以降、デフレと円高が一緒だったのは、カネの伸びが少なかったことが原因だ。

●いまは円安メリットが大きくなっている

ＧＤＰをドル換算して日本のＧＤＰランキングが下がったと言い、円安を悪いものとして煽る論調があるが、円払いの給与がほとんどの日本人には無意味なことだ。むしろこれまでの円高・デフレで成長が阻害された結果を表していると見たほうがいい。

もっとも、１９９０年と今との違いに対外純資産がある。１９９０年末は対外純資産が44兆円だったが、２０２２年６月末（一次推計）は４４９兆円。円安メリットは大きくなっている。

その中でも**最大のメリットを享受しているのは外国為替資金特別会計（外為特会）で、外貨資産を保有する日本政府だ。**

筆者からみれば、外為特会は霞が関埋蔵金の一つであり、かつて小泉政権の時に、財源として捻出した経験がある。その当時は政府内で調整が行われたが、岸田政権で埋蔵金を指摘するようなスタッフはいないので、国会で議論されたのだろう。いずれにしてもできないという理由はわからない。

《政府の円安対策は間違いだらけ？》

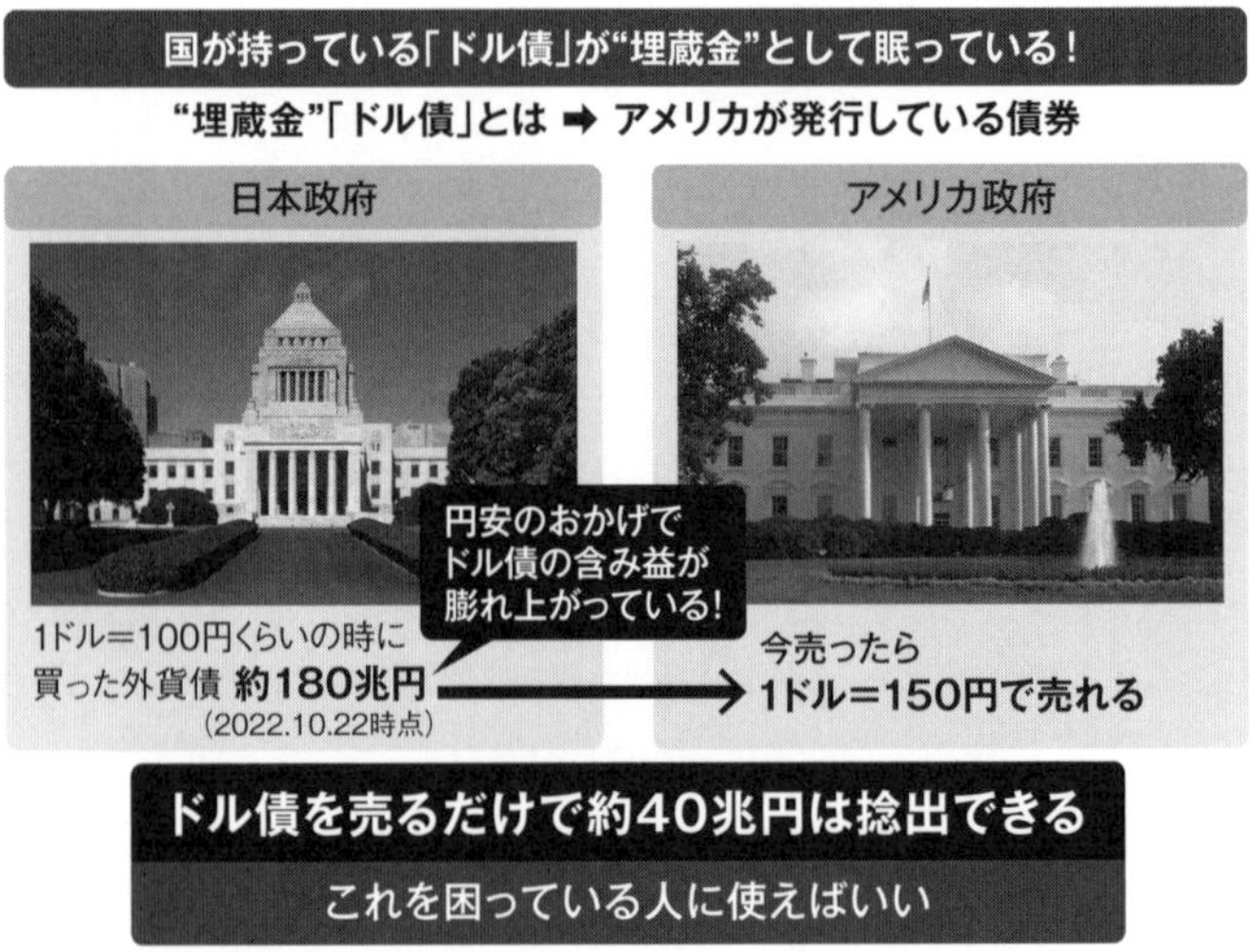
国が持っている「ドル債」が“埋蔵金”として眠っている！
“埋蔵金”「ドル債」とは ➡ アメリカが発行している債券
日本政府
アメリカ政府
円安のおかげで
ドル債の含み益が
膨れ上がっている！
1ドル＝100円くらいの時に
買った外貨債 約180兆円
（2022.10.22時点）
今売ったら
1ドル＝150円で売れる
ドル債を売るだけで約40兆円は捻出できる
これを困っている人に使えばいい

（資料）大阪朝日放送「正義のミカタ」（2022年10月22日）より

国民民主党の玉木雄一郎代表が2022年10月6日の衆院代表質問で、外為特会の含み益が37兆円あることを指摘し、円安メリットを生かすのなら、その含み益を経済対策の財源に充ててはどうかと提案した。

これに対し岸田首相は「財源確保のために外貨を円貨に替えるのは実質的にドル売り・円買いの為替介入そのもの」などと述べ、否定的だった。

10月18日の衆議院予算委員会では、鈴木俊一財務相も、外貨資産の評価益を経済対策の財源とする提案について、「その時々で変動する外国為替評価損益を裏付けとして財源を捻出することは適当でない」と語った。

一方で円安に対し、鈴木財務相は「円安を食い止めるための為替介入も辞さない」と繰り返して主張している。**財源とするのは否定するが、介入は行うとの発言である。この二つの発言は矛盾している。**

というのは、含み益を実現益とするためには、外為特会で保有しているドル債を売却するわけだが、その売却行為自体が為替介入そのものだからだ。実現益は出したくないが、為替介入するという発言を同一本人が言うとは理解できないし、マスコミや国会はこのような矛盾点を指摘しなければいけない。

その後、政府は円安を食い止めるためとして為替介入を行っている。

為替介入は１回あたり大きくとも数兆円程度の規模だ。市場での１日の為替取引は大きい。国際決済銀行の２０１９年のデータでは、１日の平均取引量は６・６兆ドル（１ドル１４０円とすれば約１０００兆円）である。ドル・円の取引シェアは13％なので１３０兆円程度だ。これでは、数兆円程度当局が介入しても、量的には雀の涙であり、１～２日の間、介入効果はあるように見えてもすぐになくなる。

であれば、政府保有のドル債を売ってどんどん為替介入すればいい。そのたびに為替評価益は実現益に変わる。その実現益を財源対策にすればいいだけだ。

含み益を実現益にするためには、ドル債の売却は金融機関相手でなく政府内の特会会計間取引でもいい。その場合、為替介入は事後的にわかるがその時にはわからない。国際的な為替操作を気にするのであれば、この手法でもいい。

いずれにしても、外貨債を持っている日本人にとって円安メリットは現実のものだ。最近の円安によるＧＤＰ増加要因で、日本経済は１〜２％程度の「成長ゲタ」を履いており、他の先進国より有利になっている。１９９０年の失敗を繰り返さず、この好機を逃してはいけない。

「円安で儲かった37兆円」を経済政策の財源に充てよ

●経済論戦すれば、野党は攻めどころ一杯だった

臨時国会が2022年10月3日に召集された。この臨時国会では総合経済対策と補正予算の策定が見込まれていたが、野党は旧統一教会問題で追及を強めることとなった。

岸田首相は所信表明演説で、「(1)物価高・円安対応、(2)構造的な賃上げ、(3)成長のための投資と改革」の3つの重点目標を掲げた。

(1)の物価高・円安対応では、海外要因のコストプッシュをどうするかが問題だ。そのために、二次補正予算案が臨時国会に出される。

岸田政権は、電気代の負担軽減に取り組むとしている。企業・世帯への現金給付案や電力会社への補助金で価格上昇を抑える案などで対応するのだろう。これはミクロ的には悪くないが、マクロの視点が欠けている。

マクロ的対応では、最終消費者への所得補助を行って有効需要を作り、価格転嫁を行いやすくし、最終消費者も実質負担がないようにするのがベストな政策だ。そのためには、現在あるGDPギャップを解消するような規模の経済対策がまず必要だ。

GDPギャップについて、内閣府では2022年4―6月期2次改訂後、▲2・7％としている。しかし、内閣府の過去のGDPギャップは2％に達しても完全雇用を達成しなかったことから、潜在GDP水準は2％ではすまないといえる。実際には▲4・7％程度、27兆円程度だろう。

GDPギャップが残ったままだと、余分な失業が残り、人手不足にならないので、賃金の上昇も期待できなくなる。その結果、(2)の構造的な賃上げもできなくなる。

最終消費者における負担軽減という観点から言えば、事務的に容易なのは消費税減税や社会保険料減免で、効果も大きい。しかし、財務省主導の岸田政権は、こうしたマクロ経済の理解が心許ない。この経済分野で野党は攻めどころ一杯なので、ぜひ有意義な国会論戦を期待していた。

●報じられなかった国民民主党・玉木代表の質問

臨時国会の冒頭での代表質問で面白いものがあった。

先にも触れたが、国民民主党の玉木雄一郎代表が衆院代表質問で、円安メリットを生かすのなら、外国為替資金特別会計（外為特会）の円建ての含み益37兆円を経済対策の財源に充ててはどうかと提案した。玉木氏は「国の特別会計は円安でウハウハ」と発言した。

これに対し、岸田首相は「財源確保のために外貨を円貨に替えるのは、実質的にドル売り・円買いの為替介入そのもの」などと述べて否定的だった。

実は、玉木氏の外為特会の質問は、彼と筆者のそれぞれのYouTubeチャンネルで対談したとき約束したもので、それをやってくれたので、まず評価したい。

こうした国民のためになる面白い議論があったのに、一部を除き一般メディアはとりあげていない。それどころか、どうでもいいような「外貨準備高減少」という記事が各紙に掲載されていた。

玉木氏の代表質問を取り上げない代わりに、財務省が何かネタをマスコミに配ったのではないかと邪推するほどだった。

●「埋蔵金」論争の再燃を警戒する財務省

かつて「埋蔵金」論争が起こったとき、世論は財務省の批判に向かったので、その再来を財務省は警戒しているのだろう。

実は、外為特会については、筆者はかつて小泉政権の時にやったことがある。小泉政権だったので郵政民営化がまずあったが、もう少し大きなグランドデザインをと言われ、政府のバランスシートのスリム化・効率化を提言した。

郵政民営化は、政府所有株の売却であるのでバランスシートのスリム化だ。政策金融・特殊法人改革もスリム化だ。そうしたコンセプトの中、政府の特別会計を精査していたら、思いの外、余裕資産があることがわかった。

政府のバランスシートを初めて作成したのは筆者であったので、各特別会計の余裕資産を炙り出すのは簡単だった。そこで、それを経済財政諮問会議の議題にした。これが、いわゆる「埋蔵金」である。その絶妙なネーミングとともに、大きな話題になった。

そうした一連の仕事は、2006年「簡素で効率的な政府を実現するための行政改革の推進に関する法律」という法律でまとめられている。この法律は、全78条であるが、各省にわたっており、霞が関官僚から見れば思い出したくないものだろう。おかげで筆者は「官僚すべてを敵にした男」、財務省からは「3度でも殺したい」とも言われたらしい。

その法律の39条に「外国為替資金特別会計に係る見直し」がある。実際、外為特会から財源が捻出された。


岸田首相の答弁を作成したのは財務省であろうが、当然その当時の議論は知っているだろう。当時、筆者は内閣官房・内閣府におり政権内であったので、財務省からの反論に答えて政策決定した。今回は、その議論の過程が国会審議として行われることになる。予算委員会など議論の場はいくらでもある。国民民主党のみならず、他党も政府与党をどんどん追及すればいい。

岸田首相の主張する「外貨を円貨に替えるのは実質的に為替介入」という論理はおかしい。円高に対応するためにドル債を購入するのが為替介入だ。**ドル債は有期なので、例えば3年債なら3年後に償還されるので、その際に外貨を円貨に替える。これは、どこの国の介入でも行われる通常の行為だ。それをやらずに再びドル債を購入（ロールオーバー）したら、それこそ為替介入になってしまう。**

財務省はロールオーバーして「為替介入」しているのに、ロールオーバーしない通常の行為を「為替介入」だとみなしているが、それは本末転倒、きつい言葉で言うと、盗人猛々しい言い方だ。

筆者の言うことを確認するのは簡単だ。先進国は変動相場制であるが、その外貨準備高のGDP比を見ればいい（P108参照）。外貨準備を持っている国でも数%以下だ。つまり、一時的に介入しても、ロールオーバーせず、途中売却か償還になっているのだ。（詳細は第3章を参照）

こうした議論もかつて行った。その上で、筆者は外為特会から埋蔵金を捻出したのだ。はたして今回はどうなるのだろうか。

マスコミが理解していない「円安になればGDPが増える」当たり前の事実

●なぜ企業の業績がここまで伸びているのか

マスコミでは、円安が大変という報道が溢れている。そこで筆者は、円安はGDPを増やすので、必要な対策はやりやすいと話した。

これは、読者であればご存じだろう。そもそも円安がGDPプラス要因なのは、古今東西、自国通貨安は「近隣窮乏化政策」として知られている。海外から文句が来ることはあっても、国内から止めることは国益に反する。

これは国際機関での経済分析からも知られている。ざっくり言えば、10%の円安でGDPは1%程度高まる。その結果、税収増も望めるので、円安は抑えてはいけない。

もちろん、輸出比率が低く輸入比率が高い中小企業には逆風だが、大企業は逆に追い風である。そのため中小企業のマイナスを補ってあまりがあるので、GDPが増えるわけだ。

中小企業には、増えた税収で景気対策を行えばよく、ＧＤＰ増加要因の円安を抑えてしまっては元も子もない。

……という話をこれまでもしてきたが、実際、このことはデータでも示せる。

財務省が発表した２０２１年度の法人企業統計で、全産業（除く、保険・金融）の経常利益が前年度比33・５％増の83兆９２４７億円と過去最大となった。２０２２年４－６月分でも、全産業の経常利益は前年同期比17・６％増の28兆３１８１億円と、これも過去最高だ。

営業収益も伸びているが、新型コロナウイルス禍からの経済・社会活動の正常化で業績回復が進んだからだ。経常利益が営業利益より伸びているのは、非営業利益の投資収益が伸びていることが理由だ。例えば、受取利息等は7兆３５７３億円で過去最高だった。

その主因は円安による海外投資収益の増加である。円安効果は輸出拡大という形でも現れるが、過去の海外投資収益という形でも表れる（左図参照）。

一般に現地生産に移行していると輸出増にならないので、円安効果は限定的と言われるが、現地生産なら海外投資を既に実施しているはずで、その場合には輸出増でなく海外投

《経常収支と貿易収支の推移》

マスコミは貿易収支の赤字ばかり取り上げるが、
貿易・サービス、利子・配当金などを合わせた経常収支は黒字。

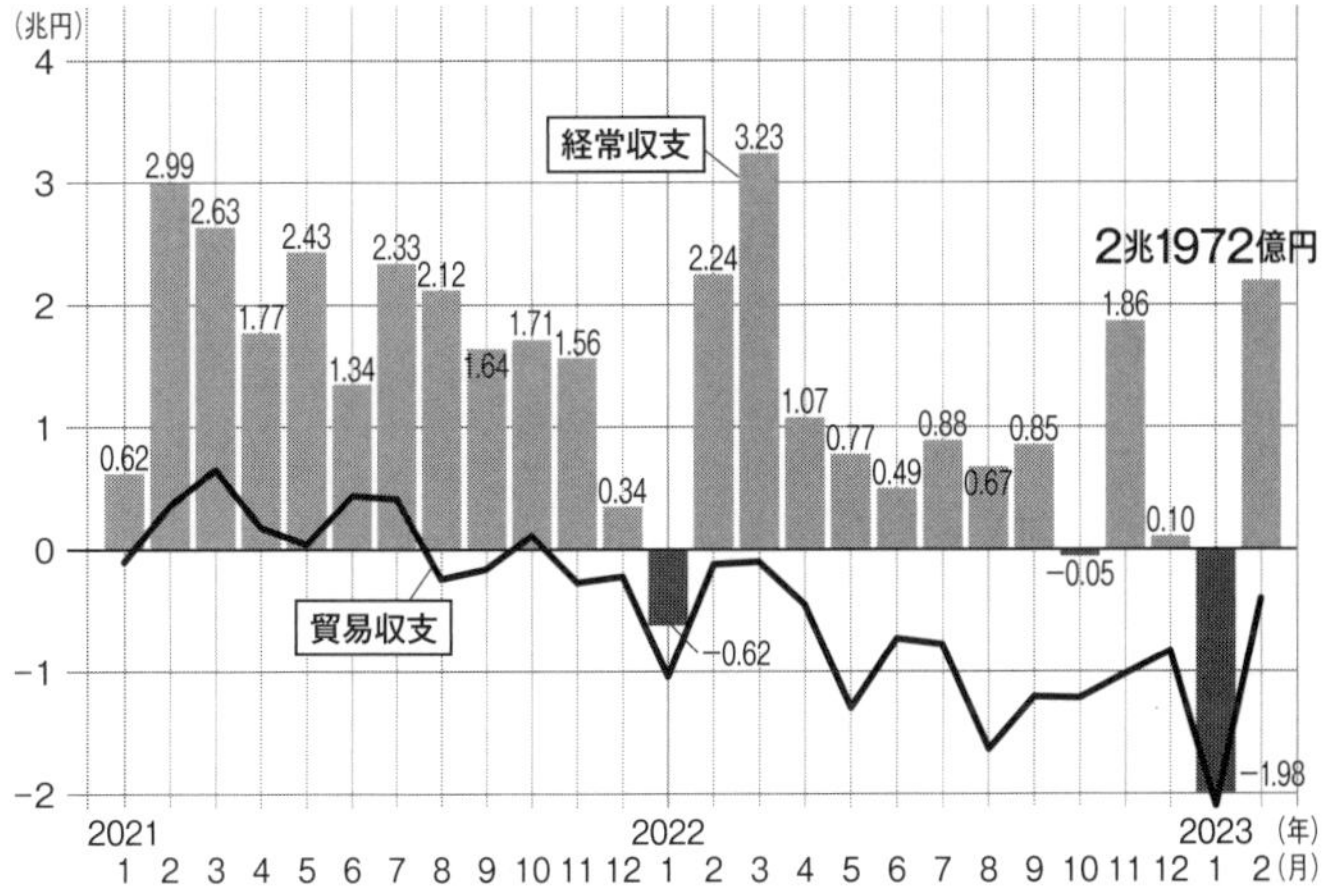

(資料)財務省「国際収支統計」

資収益増に替わっているはずだ。今回の法人企業統計では、その効果が強く表れている。

このままいけば、税収もかなり増えるだろう。経常収益がよければ、法人税収は当然伸びるが、給与所得も伸びるので、所得税収も伸びることになる。

だから筆者は、税収増が期待できる以上、政府が適切な経済対策を打つことは容易であり、それをしない政府を批判したほうがいいと、前述のテレビ番組などで解説した。

●円安と日本の国力は関係ない

マスコミはそれでも円安で不安を煽る。経済オンチのマスコミは、為替の理解もデタラメであることが多い。昨今の円安を日本の国力と結びつけて解説するマスコミやジャーナリストは多いが、無知をさらけ出すだけだ。

これまで何回も書いてきたが、日米の為替は円とドルでどちらが相対的に多いか少ないかがポイントだ。多いほうの通貨は希少価値がないため安く、少ないほうの通貨は希少価値が出て高くなる。これは、理論ではマネタリーアプローチ、実務経験則ではソロスチャートと同じだ。

1971年から50年間以上の歴史を見てみると、もっと面白い事実がわかる（左図参照）。最高値を付けたあとは少しリバウンドすることもありえるが、少し長いスパンで為替を考えるのにも歴史は役に立つ。

一部の期間を除いて、円ドルレートは、だいたい日本の円のマネタリーベース総額と米国のドルのマネタリーベース総額の比率（円ドル比率）になることがわかるのだ。

《日米為替レートとマネタリーベース比の推移(1971.1~)》

(資料)日本銀行、FRB

　円ドルレートは、日米の通貨の交換比率であるが、それぞれのマネタリーベース総量の比になっているとは、何と単純・明快な話ではないか。もちろん、為替を決めるのは、日米のマネタリーベースの現在値ではなく、それぞれの予想値なので、現在値の比だけで説明できないが、現在値の比は大いに参考になる。

　除かれる一部の期間とはプラザ合意（１９８５年９月）の前だ。その他の期間では、日本の金融緩和（２００１年３月〜２００６年３月）、米国の金融緩和（２００８年11月〜２０１４年10月）、日本の金融緩和（２０１３年４月〜）、米国の金融緩和（２０２０年３月〜２０２１年10月）と、両国の金融政策の差に応じて、為替レートが変動していく様子がわかる。

そのとき、大きくマネタリーベースの比が変動するが、それを後追いして為替レートが動いている。これが、マネタリーベースの予想値で為替が動くという意味だ。

●為替を理解していないマスコミ

プラザ合意の前についていては、プラザ合意で1ドル240円くらいから1ドル130円への調整が2年間くらいで行われているが、その前はいわゆるダーティフロートという管理された「変動相場制」だ。見方を変えると、円ドル比率から計算される「理論値」である1ドル130〜150円と比較して、1ドル200〜250円くらいに円安誘導していたわけだ。

ニクソンショック（1971年8月）以前は1ドル360円だから、かなり円安に設定されていた。そうした円安が輸出競争力を高め、日本の高度成長の原動力になっていたというのが筆者の見解だ。

こうした見方は、日本の技術力が高度成長の要因という常識とは異なる。しかし、海外競争においては価格が重要な要素であるのは否定できず、さらに、技術が90年代以降で急速に劣化したというのもなかなか考えにくい。円安誘導で経済成長というのは、しばしば他国でも見られる形態であり、日本の高度経済成長とその後の経済停滞をよく説明しているのではないか。

マスコミは為替を理解していないので、これまで円高は欧州危機、米国債務上限、米国債格下げが理由だなどと説明され、それらでうまく説明できないとわかると、今度は米国の景気回復の遅れ等の海外要因で円高が進むという定番の解説を行う。

さらに、「今、なぜ円高なのか？」と言うと、日本の国力があがったからという的外れも出てきた。そこで、「今、なぜ円安なのか？」と言うと、日本の国力が下がってきたというトンチンカンな答えになる。

円とドルの量で円高が説明できることがわかる人は、円とモノの量でデフレであることもわかる。モノに比べて、円が少ないとモノの価値が下がって、デフレなのだ。だから今の円安は、デフレ脱却の一歩とも理解できる。

ともあれ、為替レートの50年の歴史から見れば、今の円安はマネタリーベースで説明できる範囲であり、それほど酷いものではない。ＧＤＰ増加のチャンスであるととらえるべきだ。

もちろん円安で苦しい企業や人もいるので、GDP増加の果実である税収増をそうした人たちにふり向ければ、すべての人が幸せになることが可能だ。その意味で、政府の経済対策に注目したらいい。

景気回復、給料アップのためにも積極財政と金融緩和が必要だ

内閣府が2023年2月14日に発表した2022年10―12月期国内総生産(GDP)速報値(第1次速報)は、物価変動を除いた実質の季節調整値で2四半期ぶりにプラス成長となった。

GDPを年率換算ベースで見ると、全体で0・6%増だった。

新型コロナで大きく落ち込んだ20年4―6月期、その直後でリバウンドした7―9月期、10―12月期の後、マイナス、プラスと一進一退を繰り返している。22年10―12月期は順番のとおりプラスになったが、わずか年率0・6%だ。20年7―9月期以降のリバウンドの

《名目賃金と実質賃金の推移(前年同月比の増減率)》

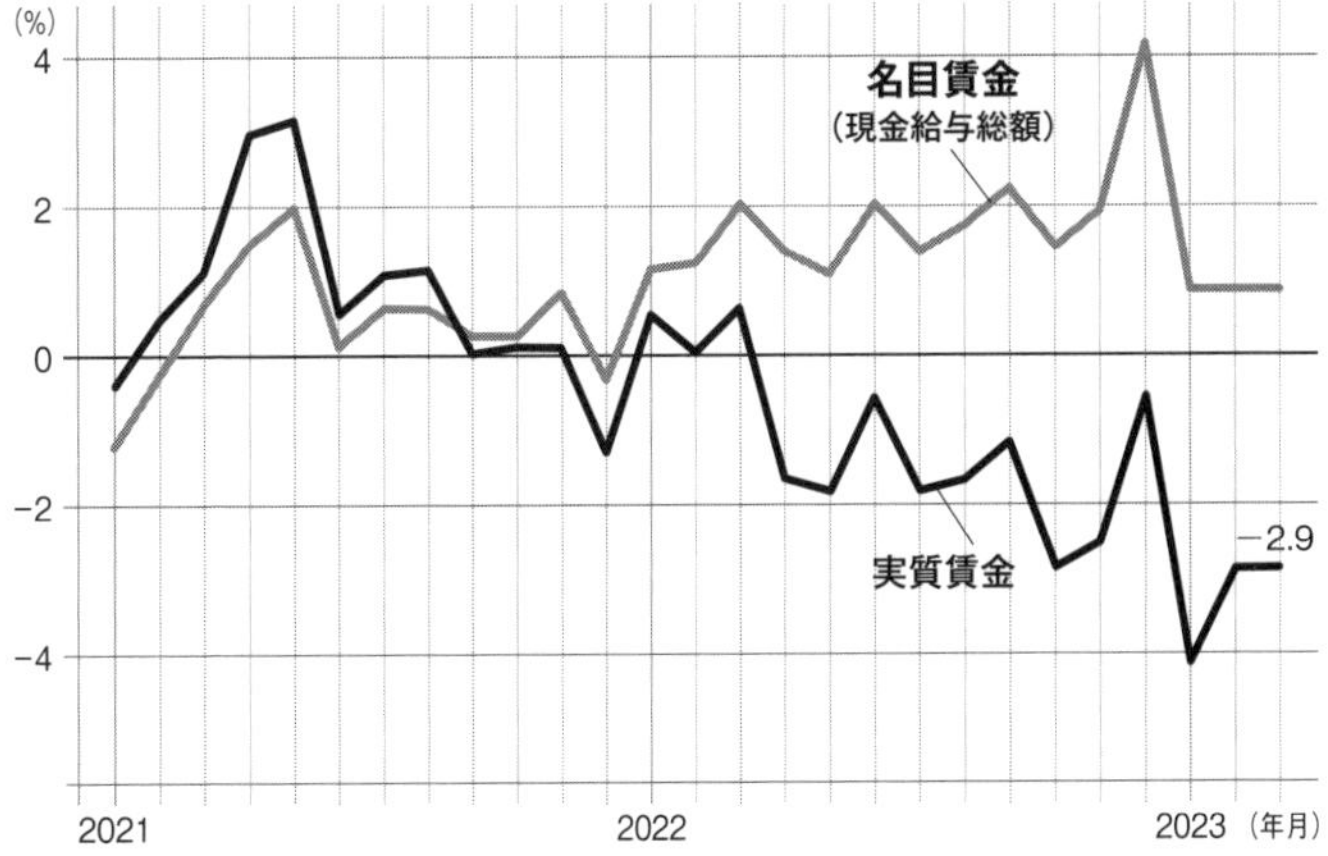

(出所)厚生労働省・毎月勤労統計調査(2023年3月は速報値)

中では、最も小さい。

今期の内訳は、民間消費が年率２・０％増、住宅投資が同▲０・５％、設備投資が同▲２・１％、政府消費が同１・３％増、公共投資が同▲２・１％。そして輸出が同５・７％増、輸入が同▲１・６％だった。

民間消費はＧＤＰ動向のカギを握るが、対前期比でみると、21年10―12月期の３・０％増の後、22年１―３月期が▲０・９％、４―６月期が１・６％増、７―９月期が０・０％となり、10―12月期は０・５％増だったが、好調とは言い難い。

住宅投資は６期連続のマイナスで低迷

している。さらに今期は設備投資も3期ぶりにマイナスだった。公共投資も3期ぶりにマイナスだが、政府消費がプラスで、純輸出（輸出と輸入の差）がプラスになったので、政府部門と海外部門でかろうじて全体でプラスになった。

これまでの補正予算も執行で使い残しが出ている。昨年の会計検査院報告によれば、19—21年度におけるコロナ関連予算は、重複を除くと予算総額は94・5兆円、支出済額は76・5兆円で執行率は81％にとどまっている。21年度から22年度への繰り越しも13・3兆円もある。

公共投資は21年1—3月期から22年1—3月期まで5四半期連続でマイナスだった。22年4—6月期、7—9月期はプラスだったが、大幅減を補えない中、10—12月期もマイナスというのはおかしい。これは、予算不足というより、人手不足で予算執行がうまくいっていないのかもしれない。

実質GDPの水準をみると、コロナ前のピークが19年7—9月期の557・5兆円だった。22年10—12月期を年換算すると543・6兆円で、まだコロナ前を回復していない。GDPギャップ（総需要と総供給の差）が存在しているため、エネルギー・原材料価格が上昇しても、欧米のような価格全般が上昇するインフレにつながりにくい。

23年1月20日公表の22年12月消費者物価指数は、生鮮食品を除く総合が4・0％上昇、生鮮食品・エネルギーを除く総合が3・0％上昇だった。日本のマスコミは「インフレ」と騒ぐが、上昇率が二桁か一桁台後半の欧米と比べると、そこまでひどくない。

内閣府資料には、インフレかデフレかを見るために最適といわれる「GDPデフレーター」が掲載されているが、四半期デフレーター原系列の前年同期比をみると、前7―9月期の▲0・4％から、プラスになったものの1・1％しかない。これが安定的に2％を超えるまでは積極財政、金融緩和が必要だ。

シリコンバレー銀行が破綻、世界的金融危機は起こるのか

米シリコンバレー銀行（SVB）が破綻し、ほかの金融機関でも経営不安が浮上した。SVBの破綻原因は何か。

この原因は金利上昇への対応ができなかった資産負債管理（ALM）のミスだ。

銀行は預金を集めて貸し出すのが基本だ。しかし、すべての預金を貸し出すわけでなく、

《SVB破綻の構造》

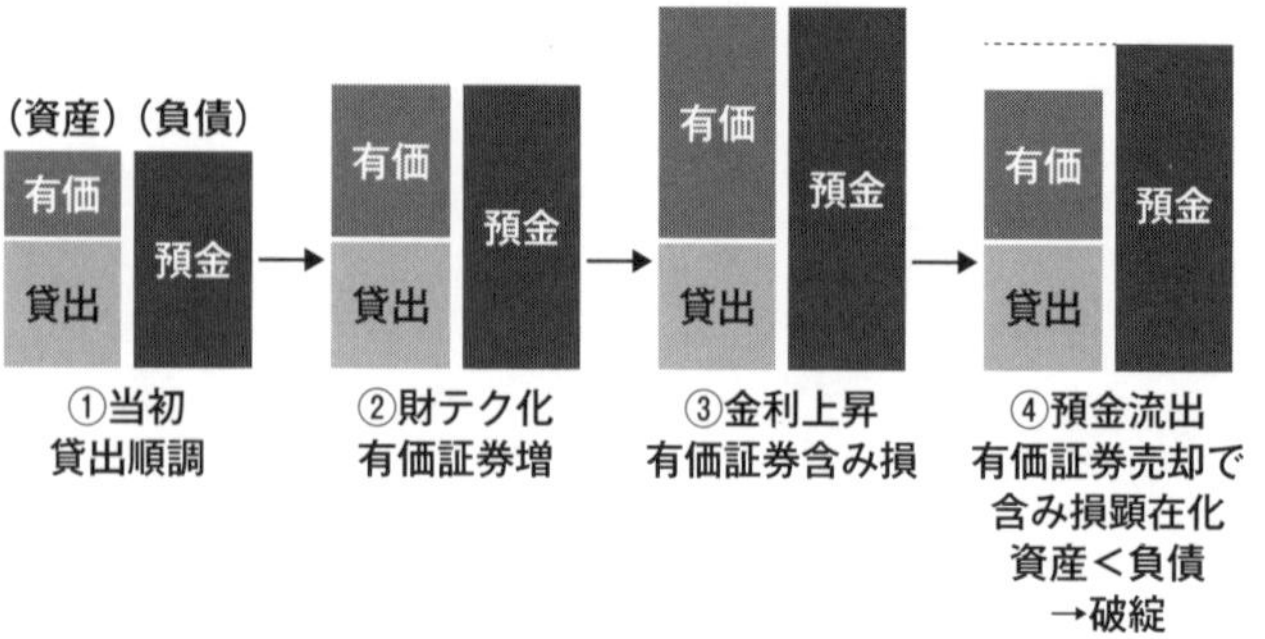

①当初、預金の大半を貸し出しにあて、一部で有価証券運用を行う。
②貸し出しは増えなかったが、預金増が続き、有価証券運用も増加。
③金利上昇で貸し出しは増えない中、有価証券運用が増加。運用ロスを回避するため長期運用も増加。含み損を抱える金利リスクが増大。
④金利上昇の中で、預金の一部引き出しに対処するため、一部の有価証券を売却。その結果、含み損が実損となり、資産が負債を下回る債務超過となり、破綻に。

一部は有価証券に回す。これは預金の払い出しに備えるとともに、預金と貸し出しの期間のミスマッチを調整するためだ。

預金の期間は貸し出しの期間より一般的には短い。その場合、金利が上昇すると、貸し出し金利は変わらなくとも、預金が更新され金利が高くなって収益悪化となる。これを回避するために、銀行は有価証券運用を短くして、金利上昇に対処する。こうした有価証券運用は、金利リスクヘッジといわれる。短期運用はあまり儲からないが、リスクヘッジなのでやむを得ない。

ＳＶＢの場合、当初は預金の大半を貸し出しにあて、残りの一部で有価証券運用をしていた。しかし、近年の景気低迷により貸し出しが増えなかったが、預金増は続いた。その結果、有価証券運用も増加した。

本来の資産負債管理からは、有価証券は短期運用が鉄則だ。しかし、ＳＶＢの場合、長期運用にしてしまった。短期運用による運用ロスを回避したかったのだろうが、金利上昇で含み損を抱えるという金利リスクを増大させてしまった。

そうした中、実際に金利が上昇してしまった。そこに預金の一部の引き出しがあった。それへの対処のために有価証券を売却せざるを得なくなった。そうなると、含み損が実損になってしまい、資産が減資し、資産が負債を下回る債務超過となって破綻となった。

ＡＬＭ（資産負債管理）は、１９８０年代後半の金利上昇局面で、金利リスクを管理できずに破綻する金融機関が相次いだので、それを防止するために開発された手法だ。筆者はそれを日本でいち早く紹介し、政府の資金運用部にも導入した。

しかし、どのように優れた手法でも使うのは人間だ。リスク管理を怠れば破綻は起こる。

金利リスクはストレステストなどで定量的に管理できるが、このストレステストを金融機関に十分に行っていなかったという報道もある。それでは、ALMも宝の持ち腐れだ。

SVBのエピソードはどこの銀行でもありえる。特に、コロナ禍で融資が伸びず、収益悪化を防ごうとするあまり有価証券運用を増やしリスクを抱える運用を行うのは、いけないことだが、まれにあるかもしれない。

各国の金融監督当局は、ストレステストがしっかり行われているかどうかなど、「第2のリーマンショック」を回避するには、金融機関に金利上昇への備えができているかどうか点検すべきだろう。

米連邦準備制度理事会（FRB）はそれほど急いで利上げしているわけではないが、それでも銀行破綻が出てしまった。日本でも雇用の確保がまだなので、性急な金融引き締めをやってはいけない。

欧米が追加利上げする理由
日本の引き締めは時期尚早

FRBやイングランド銀行などが追加利上げを決めた。

本コラムで再三繰り返して主張していることの一つとして、金融政策には「dual mandate（二つの責務）」があり、物価の安定と雇用の確保を目的とする。

雇用の代表的な指標は「失業率」であるが、物価と失業率の間には裏腹の関係がある。雇用確保のために失業率を低くしようとするのは当然だ。しかし、失業率はどうしてもゼロにならず下限がある。そこまで失業率を下げられれば、雇用の確保としては満点だ。

ただ、その失業率の下限を達成して、なお金融緩和を続けても、それ以上失業率は下がらずインフレ率だけが高くなる。その意味で、下限の失業率はNAIRU（インフレを加速させない失業率）といわれる。

つまり、NAIRUを達成したいがために、過度の金融緩和を戒めるのが、インフレ目標だ。『安倍晋三回顧録』にも同趣旨の話が書かれている。

安倍元首相は「NAIRUを聞いても答えられない人ばかり」と言っていた。例えば、日本のNAIRUは、安倍元首相のいうように2%台前半である。

こうした**金融政策の基本フレームから見れば、失業率がNAIRUまで下がっていて、インフレ率がインフレ目標より高ければ、金融引き締めとなる。この意味で、FRBやイングランド銀行の利上げは、セオリー通りだ。**

こうした利上げは、米シリコンバレー銀行やスイスのクレディ・スイスなど、リスク管理を十分に行ってこなかった銀行や、不祥事続きで十分なガバナンスができていない金融機関などには大きな打撃になるだろう。

しかし、それらに対応するのは銀行監督の仕事であり、金融政策の守備範囲ではない。一つの政策では一つの目標にしか対応できないので、破綻銀行には資本注入や他行との合併などを行いつつ、利上げを行うのが筋論だ。

失業率がNAIRUになっているのであれば、無用なインフレは景気過熱を意味しているので、利上げによる景気への懸念は過度に心配すべきではない。

ただし、日本では、雇用調整助成金で失業率が低めに出ているので、まだNAIRUを達成しているとはいえない。その意味で日本の利上げは時期尚早だ。

第3章

「埋蔵金」は使わせない。あくまで「増税」に走る財務省の奇妙な論理

岸田「30兆円」経済対策の裏で、財務省の「大増税」誘導

●経済対策の規模は結果オーライだが……

岸田政権はアベノミクスを潰し、財務省主導の増税路線へと走り出した。

ここまでの経緯を見ておこう。

2022年10月28日に閣議決定された22年度の第2次補正予算「総合経済対策」は、電気・都市ガス料金の負担軽減など物価高騰への対応が柱で、国費の一般会計歳出が29兆1000億円程度とされる。規模や内容、時期はそれぞれ妥当なものだろうか。

経済対策は規模と内容で評価できるが、まず規模が十分でないと話にならない。というのは、まずGDPギャップを埋めないことには、半年程度経てば失業が発生してしまうからだ。雇用の確保は政府に課せられた最大の責務であり、GDPギャップを無視している

《潜在GDPとGDPの推移》

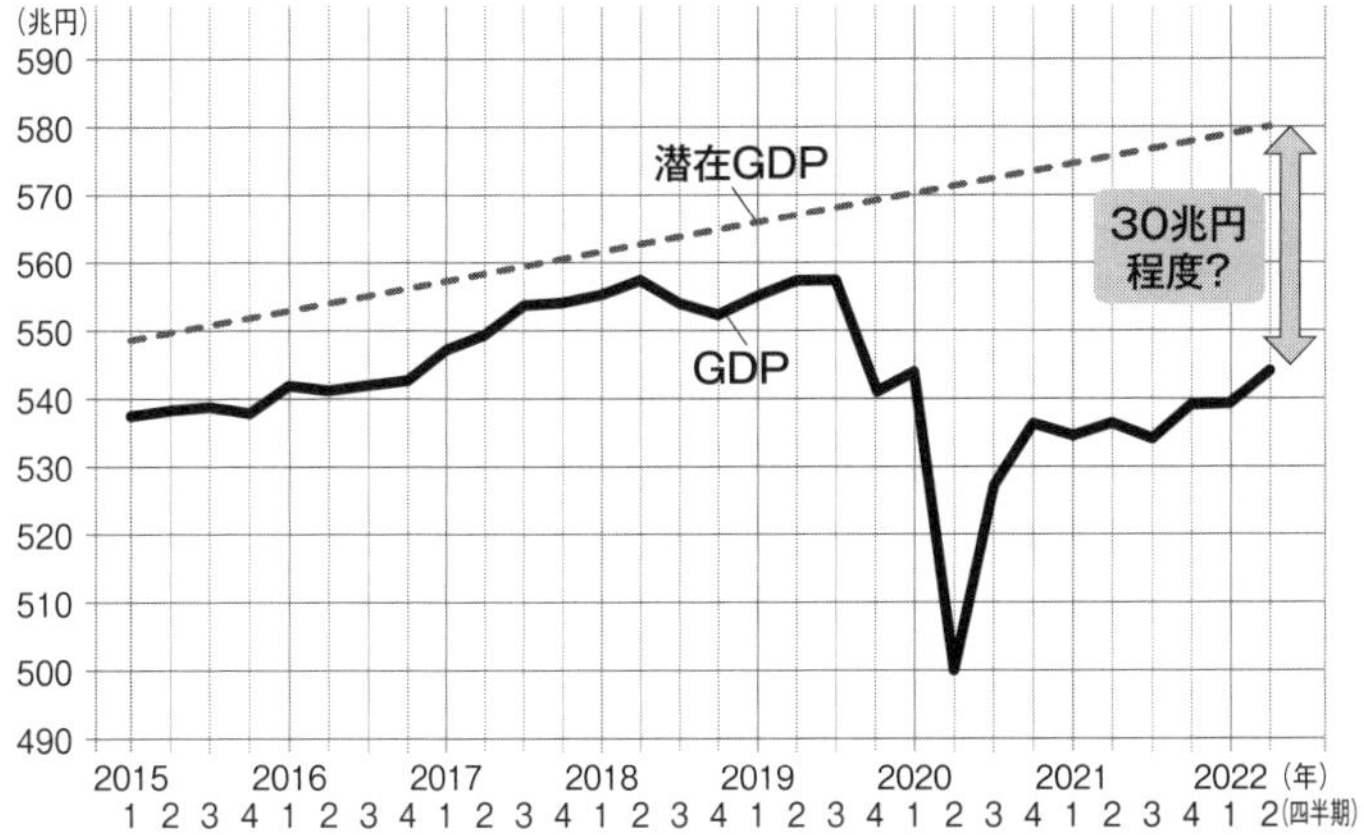

（資料）内閣府。ただし、潜在GDPは筆者試算

一部の識者は、マクロ経済政策を語る資格がない。

筆者もよく持ち出すGDPギャップについて、岸田総理が会見で言及していたのはまともだった。GDPギャップは、失業率を最低水準と思われる2％台半ば（いわゆるNAIRU／インフレを加速させない失業率）とするような有効需要で算出したものだ。

筆者は真のGDPギャップは30兆円程度としている。ところが岸田首相は、内閣府が算出した15兆円程度という数字を援用しており、下振れしてGDPギャップが拡大するおそれを考慮したと発言していた。その意味で筆者とはＧＤＰギャップの見方が厳密には異なり、完全に同じ意見ではないが、30兆円程度の経済対策なので結果オーライだ。

実際に経済生産を押し上げる効果のある「真水」はどの程度か。詳しくは補正予算書を見ないとわからないが、内閣府の経済効果試算でＧＤＰを４・６％押し上げるというのであれば、真水は25兆円程度以上になる。

報道によれば、当初の財務省案はもっと少なかったが、自民党内の安倍派勢力（萩生田光一政調会長、世耕弘成参議院幹事長ら）が岸田首相にプレッシャーをかけて規模拡大に貢献したという。それが事実であれば「良い政治主導」だったといえる。

野党の案は、規模において政府案より少ないもので、情けない。もう少しマクロ経済を勉強してもらいたい。このままでは、財務省の応援団になってしまい、失業を容認するなど国民生活に害悪となる存在になってしまう。

マスコミは、財務省からのレク（レクチャー）通りに中身が重要だといい、その中身の積み上げの結果、この規模になったという記事を書いている。

●「減税系」がなく「補助金系」ばかりなのはどうなのか

一部には補正予算にＧＤＰギャップを超えた規模を求める意見もある。しかし有効需要が総供給を超えると、雇用の確保はできるが、超過需要はインフレ率を必要以上に高くするという弊害が出る。

筆者は、失業率をＮＡＩＲＵに設定してＧＤＰギャップを算出しているが、それを埋める以上の規模の経済対策は、インフレを加速させるだけで無意味になる。

これまで筆者は「埋蔵金」について50兆円程度使えると発言してきた。外為特会（外国為替資金特別会計）で30兆円、国債整理基金（債務償還費）などで20兆円がその内訳だ。しかし、ＧＤＰギャップを意識しているので、そのすべてを経済対策に充てろとは言わない。

経済対策は30兆円で、残り20兆円は防衛基金にして後年度の財政支出とするなど、注意して発言している。財務省は筆者の発言で不適切な点があると、すぐに反応し誹謗中傷を裏で行うからだ。

いずれにしても、今回の補正予算は規模はまずまずだが、中身はどうか。有効需要の原理から言えば、中身は何であっても効果にそれほどの差があるわけではない。

ならば何でも良いかと言えばそうでもない。中身の違いによって、予算執行率に差がでるからだ。当然のことながら、執行率が悪いと、補正予算を組んでも有効需要が高まらず、GDPギャップが残ったままになってしまう。

経済対策の中身は、物価対策12・2兆円、円安活用4・8兆円、新しい資本主義6・7兆円、安心・安全10・6兆円、予備費4・7兆円などだ。

執行率の差は、「補助金系」と「減税系」を比較すると、後者のほうがはるかにいい。その観点から見ると、減税系がほとんどないのは懸念材料だ。しかも、補助金系の小玉（小さな予算）ばかりで、減税系の大玉（大きな予算）がないので、執行残が予想され、結果としてGDPアップ効果がなくなるのではないか。予備費4・7兆円を設けること自体は悪くないが、執行残になるとGDP押し上げにならない点は指摘しておきたい。

なお、財源も不透明だった。つなぎ国債で増税となるとまずい。ここは埋蔵金の活用の出番であり、増税の出番はない。

●増税の前に、埋蔵金と「増収」という手がある

時期についていえば、本来であれば7月の参院選前に打ち出しておくべきだった。折悪く、政府税調（税制調査会）で、「未来永劫（消費税）10％では日本の財政はもたない」などの声が委員から出たと報じられている。

消費増税の議論をこの時期にすることは妥当なのか。

まず国が財政危機でもたないと言うのなら、そのデータを示すべきだ。

かつて財務事務次官が「ワニの口」（拡大する歳出と低迷する税収の差をこう表現した）で財政危機を煽ったが、安倍元総理は「財政の一部しか見ていないお粗末なもの」と喝破した。財務事務次官たる者が会計無知を曝《さら》け出したお笑いだった。

安倍元総理は、民主党政権の「負の遺産」である二度の消費増税（民主党政権時に決まっていた）をやらざるを得なかった。不本意ながらそれをやった後、「後10年は増税不要」と言ったが、安倍氏がいなくなってからすぐに増税を言い出す輩は、増税に取り憑かれているのだろう。

小泉政権時も、やはり財務省は消費増税をやりたがった。しかし当時の中川秀直政調会長は、増税の前にやることがあると言った。

(1) 天下りに伴う行政の無駄カット

(2) 埋蔵金の発掘

(3) 成長などによる「増収」

が増税より先というわけだ。

当時の小泉総理もその順番だと同調した。野党も、野田佳彦氏は(1)を「白アリ退治」と称し、増税前にやることがあると言っていた。

そこで、筆者らは、埋蔵金発掘などを行った。そして60兆円ほどの財源を捻出できたので、結果として小泉政権では増税をほとんど行う必要がなくなった。

財務省の増税路線を抑えられるのは、政治である。政府は財務省に牛耳られるので、自民党や野党の役割が大きい。

ところが、現在は自民党内とりわけ安倍氏を失った清和会は政調会長などキーパーソンを出しているものの、政策論争をしている余裕がないほどガタガタである。さらに、野党からもまともな意見があまり出ていない。財務省もそうした政治情勢を見切って、政府税調を使って増税をぶつけてきているのだ。

埋蔵金は、外為特会などで50兆円ほど発掘可能だし、円安による成長で「増収」もある。

さらに、「増収」では、インボイス導入という手もある。**インボイス導入については、市民グループや左派政党の反対があるが、消費税が導入されている国ではどこでも導入されている普遍的な制度だ。**

これまで日本ではインボイス制度がなかったため、消費税非課税業者が消費税をとりつつ、それを納税しないで自分の利益としてきた。いわゆる「益税」問題だ。インボイスは各取引で消費税を明記するもので、「益税」をなくし税のゴマカシを防ぐものだ。

筆者は、消費税率の引き上げ（増税）は賛同しかねるが、消費税を公平に取ることで、「増収」になるのはいいと思う。インボイスにより、税の公平性が確保され、結果として増収になればなおいい。

政府税調は、財政の包括的分析を行い、その上で増税の前に⑴無駄カット、⑵埋蔵金、⑶増収を議論すべきではないか。より説得的に財政議論ができるはずだ。

このまま財務省の言いなりで終わるのか？「埋蔵金」活用の手もあるのに

●「埋蔵金」と「消費増税」

物価対策などの22年度の第2次補正予算は、一般会計では29兆円程度の規模であるが、その財源は、23兆円程度の国債発行によることになった。

岸田政権はこれまでも経済対策を打ってきたが、補助金系ばかりで、その執行は必ずしもうまくいっていない。正確な数字は決算までわからないが、筆者の直感などでは20兆円程度の使い残しがあるように見える。

今回、一般会計で29兆円の補正予算となり、その財源は23兆円程度が国債発行になると報道されている。この補正はこれまでの未消化分でかなりの程度予算を組めると思っていたら、さすがに未消化を前面に打ち出すのはまずいので、国債発行で対応するようだ。

ということは、未消化分はまた「埋蔵金」になる可能性があるということだ。

このように埋蔵金は、その時々の財政運営や経済環境によって変わりうる。財務省によるフローの一般会計における各種の会計操作は、結局特別会計のストックによって調整せざるを得ない。この点が、筆者が特別会計の「埋蔵金」に着目する所以だ。

いわゆる「霞が関埋蔵金」について、民主党は当時、政策の財源として掲げていたが、政権交代後は十分に出すことができなかった。

筆者は、埋蔵金について「民主党政権関係者は埋蔵金が出せず、あると騙されたという人もいるが、民主党はZによる事業仕分けやZによる消費税増税をしたくらいだからZの言いなりだっただけ。ちなみにオレは事業仕分けに参加せず消費税増税反対だったけど」とツイートした。ここでのZとは財務省の意味だ。

すると意外なことに、立憲民主党の原口一博氏が「確かに、反省している。あるはずの埋蔵金を出せずに、見当違いのところを掘り続けたからだ。後の方は、Zの言いなりの政治家が自爆装置のスイッチを押した。」と返した。

やはりだ。それにしても、民主党内で消費増税で内部分裂していたのは知っていたが、原口氏の言うとおりの「自爆」で、民主党は政権を失った。筆者は「今国会での論議を期待しています」と返事した。

●埋蔵金は使っても支障がないもの

埋蔵金というのは、筆者は特別会計における資産と負債の差額で、使っても特別会計運営に支障の出ないものとしている。

筆者が小泉政権時代に着目したのは、財政融資資金特別会計、外国為替資金特別会計などだった。もちろんすべての特別会計をみていたので、少額なものを含めれば他にもたくさんあった。

民主党政権時代にも埋蔵金はなかったわけではない。国債整理基金特別会計にも10兆円程度あったので、当時の野党議員が質問したが民主党政権は埋蔵金の活用をしなかったので、第二次安倍政権になったとき、最初の景気対策でこの埋蔵金を使った。安倍・菅政権の時には、労働保険特別会計にもメスを入れて、埋蔵金を景気対策に活用した。

それにしても、**財務省の補正予算のやり方は酷い。標準的な手法なら、使い残しを集め**

てきて、できるだけ国債発行を抑えるのだが、そうなっていない。

そのことは、政府税調の消費税増税論議が報道されていたから、筆者にとっては想定内だった。政府税調では「未来永劫10％では日本の財政はもたない」などの声が委員から出たと報じられていて、国債発行は増税への地ならしなのだ。

何しろ安倍元総理は、民主党政権の負の遺産である二度の消費増税をやらざるを得なかった。不本意ながらそれを果たした後、「後10年は増税不要」と言ったわけだ。

岸田首相は21年9月の自民党総裁選において、安倍首相と同じフレーズを使っていた。それなのに、財務省から増税主張が出てくるというのは、財務省はもはや岸田政権を見限っているのでは、と邪推してしまうほどだ。

財務省の言いなりのままでは、岸田首相の支持率も低下し、そのうちポイ捨てされてしまうだろう。

ここは、外為特会などの埋蔵金50兆円を活用し、新規国債発行なしで補正予算を組み、23年度予算の防衛費なども賄う必要がある。

「埋蔵金」を使わせない、財務省の世にも奇妙な法解釈

●ドル債の売却・償還をすると、介入になる？

外為特会（外国為替資金特別会計）の埋蔵金について、筆者はコラム「『円安で儲かった37兆円』を経済政策の財源に充てよ……財務省が臨時国会で触れられたくないこと」をはじめとして何度も指摘している。

ところが、この外為特会は、22年11月に国会に提出された第2次補正予算にまったく生かされていない。「財務省ポチ」のマスコミもほとんど報道せず、財務省は知らぬ存ぜぬを決め込んでいる。

筆者は前述のように小泉政権時に外為特会の埋蔵金を取り出し活用したことがある。といっても、今回のように評価益を取り出したのではなく、運用益を取り出した。

実は、ほぼゼロ金利の政府短期証券（国庫短期証券）を発行して、一般的には中期のド

ル債を購入する外為特会では、ドル債と政府短期証券の表面金利の差があるので、為替変動がなくても運用益が出やすい。過去の決算をみても、毎年２兆〜３兆円程度の剰余金が発生し、外為特会から１・５兆〜３兆円程度の一般会計への繰り入れが以前から行われている。

筆者の記憶では、運用益を一般会計に繰り入れるときには、かなりトリッキーなことをやっていた。外為特会の保有するドル債の利払いはドルで行われるが、通常であれば、それを円に換えればいい（円転）。しかし、それは「ドル売り円買い」になるので、そうせずに、円転相当分の政府短期証券を発行し、その円を剰余金にしていたのだ。

なぜそのような手間をかけるのか筆者には不思議であったが、あくまで「ドル売り円買い」の「介入」と見られない措置だと、当時の財務省職員は説明していた。財務省は対外的には、アメリカ政府との関係で「介入」ができないと説明していた。

筆者からみれば、一日の為替取引はその円転量より二桁ほど多い取引量なので「介入」の効果はまるっきりないのに、財務省が何を言っているのかわからなかった。しかし筆者としては、小泉政権のときは特別会計の剰余金が入ればいいので、くだらないと議論をしなかった。ただし、そうした会計処理（資産・負債の両方を膨らます）をしていると、外

《G7諸国の外貨準備対GDP比(2021年)》

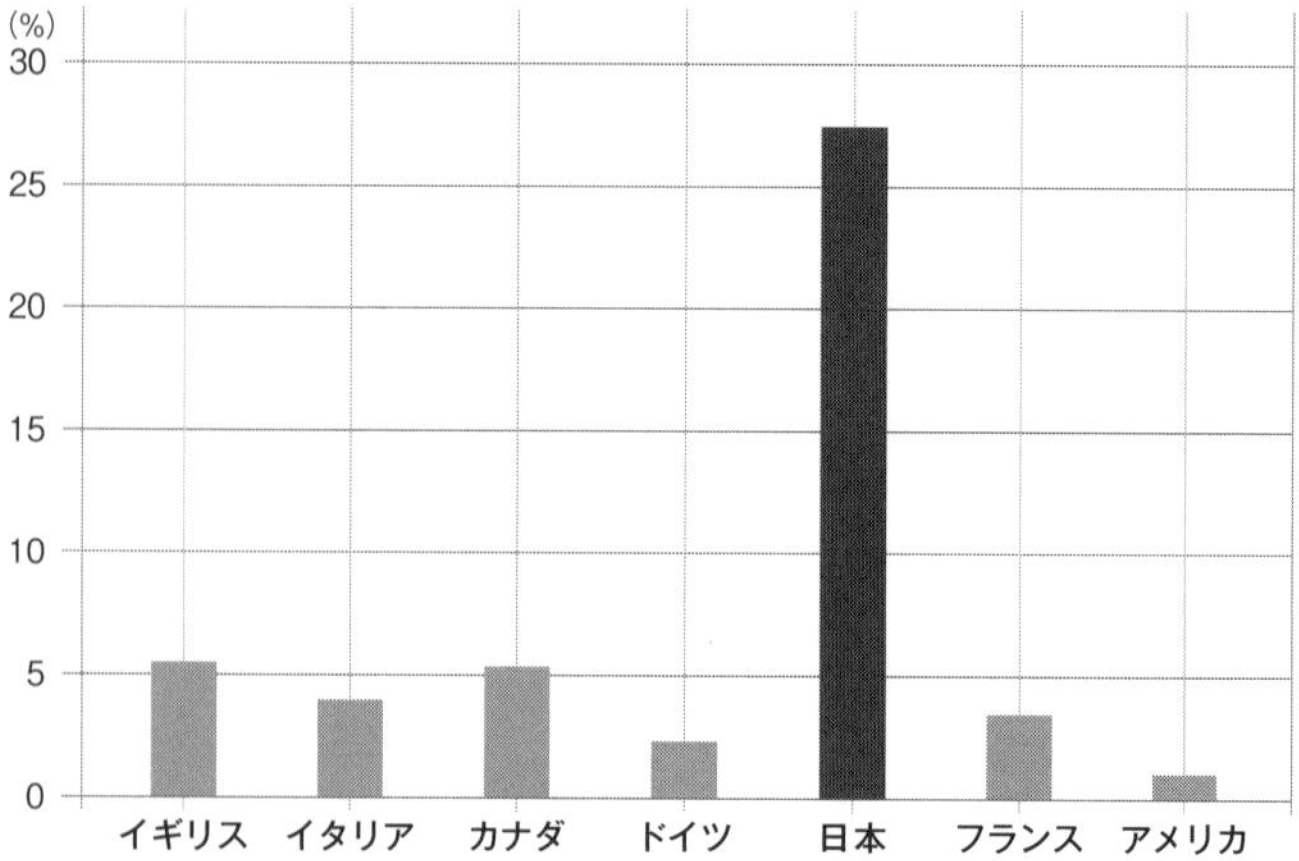

(資料)IMF

為特会の資産・負債は増加するので合理的ではないと言っておいた。

さらに、外為特会で保有しているドル債の償還時期が到来したとき、償還し償還金を円転せずに、ドル債をロールオーバーして再投資するほうが、「介入」になるとも指摘しておいた。

●突出した外貨準備を生む財務省の珍妙なロジック

このロールオーバーがあるために、日本はG7諸国の中で、突出した外貨準備になっている。他の先進国で外貨準備がないということは、ドル債の売却や償還時に、「介入」になるのでアメリカ政府との関係でできない、との財務省の対外的な説明が正しくないことを示している。

さらに、外貨準備は、外資系等のメガバンクが保管している。その規模が大きくなると、保管料はさらに増す。現時点で10億円程度なので、天下りにもつながっている。保管金融機関からみれば、保管料が入る上に、あわよくば為替介入の情報が入ると思えば、天下りを受けやすくなっている。

小泉政権当時、為替差益が取り出せないのかと聞いたら、財務省は頑なに拒否した。筆者としては、運用益だけでもいいかと思い、あまり深く追及しなかったが、そのときに財務省のいう「ロジック」にはかなりの違和感があった。

為替差益は、売却するか償還時に発生するが、財務省はドル債をほとんど売却しないかロールオーバーして償還しないことにより回避している。もちろん、外為特会の損益計算書では、「外国為替等売買差益」が少額だが計上されている。

しかし、例えばロールオーバーしないで償還時に為替差益が発生したらどうなるのか。特会法や特会施行令の規定をみれば、「外国為替等売買差益」に計上せざるを得ないだろう。

《特別会計に関する法律（平成19年法律第23号）》

（外国為替資金における一時借入金等）

第八十三条　外国為替資金に属する現金に不足がある場合には、外国為替資金特別会計の負担において、一時借入金をし、融通証券を発行し、又は国庫余裕金を繰り替えて使用することができる。

2　前項及び第四項の規定による一時借入金、融通証券及び繰替金の限度額については、予算をもって、国会の議決を経なければならない。

3　第一項の規定により、一時借入金をし、又は融通証券を発行している場合においては、国庫余裕金を繰り替えて使用して、支払期限の到来していない一時借入金又は融通証券を償還することができる。

4　第一項の規定によるほか、外国為替資金に属する現金に不足がある場合には、外国為替資金特別会計の余裕金を繰り替えて使用することができる。

5　第一項の規定による一時借入金、融通証券及び繰替金並びに第三項の規定による繰替金は、一年内に償還し、又は返還しなければならない。

6　第四項の規定による繰替金は、当該年度の出納の完結までに返還しなければならない。

しかし、外為特会では現実にロールオーバーしており、外貨準備を先進国で例がないほどに肥大化させておきながら、売買差益は計上していない。

●この法解釈が本当に正しいか？

では、実際に売却したらどうなるかと聞いたら、特会法83条により、「全額」政府短期証券の償還に充てなければならないから、売買差益は財源にできないと言っていた。正確には、当時は今の特会法でなかったので、引用条文は正確ではないが、内容としては同じだ。

それでも、頭の体操であるが、特会で保有しているドル債を全部売れば、全額政府短期証券の償還をできて、その上で差益が剰余金になる。

または、ちょっと間抜けな方法だが、財務省がこだわるなら運用益の取り出しと同じように、差益相当分の政府短期証券を発行し、それで差益を取り出してもいい。

いずれにしても、財務省は、差益を財源にできないと言うために、まともでない法解釈を言っていたことを指摘しておこう。

特会法83条を掲載しておく。どのように法解釈したら、「全額」政府短期証券の償還に充てなければならないと読めるのだろうか。

財務省の法解釈が正しいのか、ぜひ国会で議論してほしい。そもそも財務省のこの解釈ではまともな外為特会管理ができなくなる。

外貨準備を大規模に有し財務官僚の天下りのために、法解釈を歪めているのではないか。

政府の保有するドル債で含み益があるときに、それを国民のために使わないというのは国益を考えていない証拠だ。

防衛費増額の財源に、ついに「埋蔵金」活用か？
財務省の「増税悪あがき」の行方

●もともとは「防衛国債」が有力視

政府は防衛費増額について、2023年度の一時的な財源確保策として、新型コロナ対策で厚労省所管の独立行政法人に積み上がった剰余金や外国為替介入に備えて管理している特別会計の剰余金の転用案の活用が浮上したと報じられた。

一方で安定財源として増税策も議論し、赤字国債の一種である「つなぎ国債」で、増税実施までの財源不足を穴埋めすることを視野に入れると報じられている。

この問題の経緯をまとめておこう。2022年2月に、ロシアによるウクライナ侵攻があり、世界情勢が緊迫した。一方、中国の習近平体制は台湾統一を公言しており、場合によっては武力行使の可能性も排除していない。

台湾有事となれば、日本有事になる。自民党内の保守勢力から日本の防衛力強化が主張され、2022年7月の参院選で自民党は「5年以内でGDP比2％」の防衛費を公約とした。ただし、そのときには財源論はなかった。安倍元首相が主張していた「防衛国債」が有力視されていたからだ。

ところが安倍元首相が暗殺されると、財務省は官邸に有識者会議を作った。そこで財源問題が議論され、増税の方向性が出されている。

そこで、2023年度予算にも防衛費増額の方向性が出てくるので、冒頭のように岸田政権は22年11月29日、23年度予算への検討を始めた。

●さすがに財務省も抵抗できなくなった?

予算作りの一般論として、新規予算があるときには、**⑴他の歳出カット、⑵建設国債対象、⑶その他収入（埋蔵金）、⑷自然増収、⑸増税**、で対応する必要がある。

検討される順番は、それぞれの番号通りだ。

⑴は言うは易く行うは難し。歳出をカットされる省庁の反発が強いし、財源として巨額なものは出にくい。

《防衛費（新規予算）の財源はどこから持ってくるか》

① **他の歳出カット**→ 金額が少なく、他省庁の反対あり

② **建設国債対象**→ 一般会計予算総則では海保の船舶、人工衛星も対象

③ **その他収入（埋蔵金）**→ 医療法人（0.2兆円程度）、外為特会（30兆円程度）

④ **自然増収**→ 確実性がないと財務省が消極的

⑤ **増税**→ 財務省の大本命。当面つなぎ国債として増税に結びつける。
例：東日本大震災における復興増税方式

(2)の建設国債対象経費にできれば、有力な選択肢だ。これは、安倍元首相が生前に主張していた「防衛国債」である。「財政法第4条第1項但し書き」では、公共事業費、出資金及び貸付金の財源については国債発行を認めている。「一般会計予算総則」で海上保安庁の船舶建造費が公共事業費として認められているので、海上保安庁の巡視船は建設国債で作られている。

同じように防衛省予算を一般会計予算総則で規定するというのも有力案だ。実は、かつて人工衛星も建設国債の対象経費だった。人工衛星は衛星を打ち上げるのはロケットだが、爆弾を乗せればミサイルだ。この前例を踏襲すれば、ミサイルを国債発行対象経費とすることも、できない話ではない。

(3)その他収入増というのが、筆者がかねてから主張している埋蔵金である。特に外為特会（外国為替資金特別会計）では、

円安による儲け「評価益」があるのでこれを使わない手はない。

筆者のところに多くの与野党議員から問い合わせて来たので、小泉政権以来のこれまでの埋蔵金支出の経緯、その際、財務省の問題となっていた法解釈などを忌憚《きたん》なく話させてもらった。そして、コラムでもそれらを公開してきた。

いくら岸田首相に否定させたところで、さすがに財務省も抵抗できなくなったのだろう。昨年末にはとうとう検討せざるを得なくなった。

ただし、狡猾な財務省はダメージコントロールも上手く、最小限度のダメージに止めるだろう。各紙の報道では、外為特会「余剰金」を防衛力強化の財源に活用するなどと書かれている。会計知識のあやふやなマスコミなので仕方ないが、「余剰金」はどのような概念なのか、筆者のいうところの「評価益」とは違う。

今の為替水準だと、少なくとも30兆円程度の「評価益」があるが、剰余金だと、財務省が会計操作を行った後に出るので、評価益そのものが剰余金になるわけではない。いずれにしても、筆者から見れば少なくとも30兆円くらい捻出できるが、複数年でその半分くらいになれば御の字だろう。

●自然増収でも防衛費増をかなり賄える

(4)自然増収は、もっとも真っ当な方法だ。23年度を見れば、円安でGDP増なので、法人税、所得税はかなり増収になる。その後も経済成長して、名目成長率を4%程度にできれば、その自然増収で防衛費増をかなり賄える。もっとも財務省は、成長はあてにならないとこの議論には乗らないだろう。

(2)と組み合わせれば、建設国債の償還年数は60年なので、今の防衛費増に対して、自然増収が0・1兆円程度あれば十分なので、(2)ができるのならば、増税を考える必要はない。

(5)増税は、最後の手だが、財務省はこれが本命だ。いきなり増税とはせずに、「つなぎ国債」で当面泳いで、特別会計を設置するなどして増税に結びつけるのが、財務省の戦略だろう。東日本大震災のときに、復興費用を復興増税に持っていったときのやりかただ。

いずれにしても、実質的に(2)建設国債対象、(3)その他収入(埋蔵金)がポイントで、当面これで決着が付けば、(5)増税とは政治的にはならない。かつて小泉政権の時、埋蔵金が多額にあったので、小泉首相は自分の在任期間中は増税しないと言わざるを得なかった。

いずれにしても防衛費増額は２０２３年度予算で方向性を出す必要があり、22年末の予算編成の重要事項だ。支持率が低下して政権運営がままならない岸田政権には起死回生の道筋を進んでほしかった。

防衛費増額で財務省にまんまと乗せられた岸田首相

●増税を主張するための「試算」のカラクリ

岸田首相は、２０２２年12月５日夜、今後５年の防衛費として43兆円とし、あわせて財源措置の検討も指示した。

防衛費のＧＤＰ比２％は、先の参院選で公約になっていた。かつて仮想敵国が一つだった時期でさえ防衛費はＧＤＰ比１％だったわけで、今や北朝鮮、中国、ロシアと３つあるのだから、ＧＤＰ比３％でも不思議ではない。

ＮＡＴＯという世界最強の同盟でさえＧＤＰ比２％なので、日米同盟だけに頼る日本ではそれ以上の防衛力が必要なのだ。しかし財務省は、防衛省要求の48兆円から43兆円へ防衛費を減額した。

いずれにしても岸田首相指示は43兆円であり、その財源で現実的かどうかが議論になっていた。

前述のように予算作りの一般論として、新規予算があるとき、⑴他の歳出カット、⑵建設国債対象、⑶その他収入（埋蔵金）、⑷自然増収、⑸増税、で対応する必要があることを紹介した。検討される順番は、それぞれの番号通りだ。

ところが、政府内では、とんでもない「試算」が独り歩きしていた。

防衛費について、5年後の2027年度に防衛費と関連する経費を合わせてGDP比2％とするが、22年度のGDPの見通しをもとにした試算では、その2％は11兆円規模になる見通しというのだ。

その試算では、追加の財源として5年後にはおよそ4兆円が必要で、歳出削減のほか、年度内に使われなかった「剰余金」を活用しても1兆円程度が不足するとしている。1兆円くらいは、実際の予算編成では増税なしでできる程度の話なのだが、あくまで増税を主張したいのだろう。そして、それは次の増税に繋げるためだ。

●まともに検討されなかった「埋蔵金」

この試算を、筆者が示した予算作りの一般論に照らし合わせると、⑴他の歳出カット、⑶埋蔵金の一部、⑷自然増収は、一応形式的に考慮されているだろう。

しかし、肝心なのは⑵建設国債対象、⑶埋蔵金である。今回、それはまともに検討されていない。なにしろ、5年先のGDPでなく現在のGDPで2％を計算しているのだ。それが根拠とは、聞いて呆れてしまう。

⑵建設国債対象は、安倍元首相が提唱していた「防衛国債」のことで、安倍元首相が亡くなってから、財務省は官邸に有識者会議を作り、防衛国債議論を封じて増税への地ならしを行ってきた。この有識者会議は東日本大震災後の復興会議とやり方がそっくりだ。

なお、前述で、これまでの建設国債対象経費を列記してきたが、こうした前例をみると、防衛関係が対象であっても当然だ。

⑶埋蔵金にしても、小物ばかりで、外為特会（外国為替資金特別会計）の評価益（30兆〜40兆円程度）が含まれていない。これを持ち出すと、財務省は為替介入になるというが、

実際に財務省は為替介入下ではないか（22年9月22日、10月21、24日に円買いドル売り介入を行った）。米政府が許さないというが、これは財務省のカウンターパートの米財務省と口裏をあわせている可能性もある。

他の先進国では外貨準備が少ないが、これは、各国が為替介入後にドル債の売却か償還を行っている証拠である。日本もドル債の償還なら良くて、売却は不可というのもロジカルでない。そもそも、数兆円程度の為替介入をしても、1日150兆円程度の取引がある外為市場ではほとんど効果はない。

埋蔵金は必ずしも外為特会に限らない。**一般会計に計上されている債務償還費**（2022年度15・6兆円）**は、他に流用しても国債償還にはまったく支障がない。そもそも債務償還費を予算で計上しているのは先進国では日本だけだ。**

筆者の個人的な話だが、恥ずかしい思いをしたことがある。かつてある国際会議で政府の公式答弁として債務償還費を計上しているから日本国債の信認があると説明したら、会議後各国担当者からそんなことをしているのは日本だけだと諭されたのだ。

実際、これは一般会計から国債整理基金特別会計への繰り入れだが、過去にも停止したことがある。これも、埋蔵金の一種である。

●セオリーを無視する財務省

財務省はこうした埋蔵金の「大物」をやらずに、小物ばかりに手をつけて「やった感」を醸し出している。それは「剰余金」という言葉にも出ている。あくまで「余りが出たら出します」と言っているだけで、余りを出すかどうかは財務省の意向次第だ。マスコミは会計知識もないので、財務省の言い分を垂れ流すだけとは情けない。

また財務省は、財源を確保するため、国有資産の売却などによる税金以外の収入を活用する「防衛力強化資金」という新たな枠組みをつくることも検討していると報じられている。こうした資金は、防衛費を区分経理するための常套手段であり、財源確保のために増税する一歩手前だ。かつて、東日本大震災のとき、復興特会（東日本大震災復興特別会計）を作り、復興増税に持っていった手法に類似している。

自民・公明両党の幹部協議会は22年12月7日、歳出削減などを行ったうえでも不足する部分は税制措置を含めて対応する方針を確認した。自民党内で安倍派などは反発したが、岸田首相は8日、与党に所得税を除く形で税制措置を検討するよう指示した。

岸田首相は過去の前例さえ無視し、財務省のシナリオ通りに動いて不要な増税に走った。防衛費増を参院選で公約したのは事実だが、防衛増税は公約していない。

岸田首相は、12月10日の会見で、「国債でというのは、未来の世代に対する責任として採り得ない」と述べた。しかし、防衛はインフラと同じで将来世代まで便益があるのだから、むしろ国債に相応しい。

東日本大震災後、大震災が稀に起こるのであれば、課税平準化理論から復興費用は長期国債で賄うのが、財政学からの結論だ。これと同様に考えれば、有事が稀に起こるのであれば、防衛費用を長期国債で賄うのが筋だ。課税平準化理論からも防衛国債を正当化できる。

東日本大震災についで今回も財務省はセオリーを無視した。しかし、財務省のポチである財政学者からは声も出ていない。

今回の防衛費の議論の進め方は、東日本大震災後の復興増税に瓜二つで、ともに間違っている。1兆円程度だという増税を強調するのは、東日本大震災後、ホップの「復興増税」のあと、ステップの「消費増税第一弾」、ジャンプの「消費増税第二弾」を惹起させる。

残念なことで認めているわけではないが、筆者は「これは、防衛建設国債や埋蔵金なしというわけで、財務省の勝ちだなあ」と呟いてしまった。

（２０２３年４月28日、筆者は衆院財政金融委員会と安全保障委員会の連合審査会において、参考人として本書で指摘した内容の意見陳述を行った。）

第4章

ウクライナ戦争で大きく変わる世界秩序

岸田首相のウクライナ訪問は、「ニセの和平」中国のメンツを見事に潰した

●中国の本音はロシアへの武器供与

２０２３年３月21日の正午頃、岸田首相がウクライナに電撃訪問したというニュース速報が出た。折しも同じ時期に、中国の習近平国家主席がモスクワを訪問し、プーチン大統領と首脳会談を行っていた。

中国は、これまでウクライナ侵攻後のロシアに対してやや距離を置いてきた。プーチンが出席した２０２２年２月の北京冬季五輪の直後にロシアによるウクライナ侵攻が始まったことも、中国はあまりよく思っていない。また中国はウクライナとも関係があり、ウクライナとは決して敵対的ではなかった。

ただ、ここにきて中国はロシアへの梃子《てこ》入れに転じたのだろう。ただし、表向きは平和志向であり、ロシアとウクライナの和平交渉で仲介し、世界中へのプレゼンスを高めるこ

とを目論んでいるのだと考えられる。

中国のそうしたスタンスは、直前に中東でイランとサウジアラビアの国交再開を仲介したことからもうかがえる。米国は自身が産油国になったので、中東の石油が国益にならなくなった。米国が中東から手を引いたところに中国が出てきた形だ。

中国としては中東の石油に当分依存するので、外交正常化の仲介をすることは国益にかなうわけだ。

今回、中国がロシアと関係強化を図るのは、こうした和平の演出という狙いがあるのだろう。それとともに、「一帯一路」戦略などでロシアとの経済依存関係を深めたいとの思惑もうかがえる。もっとも本音のところは、中国からロシアへの武器供与ではないだろうか。


中国は、アジアからの使者として、ロシア大統領府のあるクレムリンでの首脳会談で専制国家の長としての威厳を保つ狙いもあったとみられる。ただし中国の和平提案は、即時停戦でロシアの侵攻を認める「ニセの和平」ともいわれている。その裏で、ロシアへの武器供与も見え隠れしているのが実態だ。

しかし、これらの中国の世界へのアピールは、中ロ首脳会談の2日後に行われた日本の岸田首相とウクライナのゼレンスキー大統領との首脳会談でかなりの程度、打ち消された恰好になった。

岸田首相は、インド訪問の後、ポーランドからウクライナに入り、ゼレンスキー大統領と首脳会談を行った。どうも、インド訪問中の岸田首相は同行記者にも悟られるように準備していたらしい。

●絶好のタイミングだった岸田首相のウクライナ訪問

日本とウクライナの首脳会談の場所はキーウであるが、クレムリンの豪華絢爛とはほど遠く、世界に向けての絵柄としては上出来だ。安全なところで優雅に振る舞う習近平主席とプーチン大統領、かたや戦時下での岸田首相とゼレンスキー大統領という対比構図は、これまでにない世界へのアピールになった。

と同時に、日本も中国もアジアからのお客であるが、日本・ウクライナの「民主主義」と中ロの「専制主義」の対比になったのはいい。さらに、本来であれば弱点である日本からの殺傷能力のない装備品支援も、中国からロシアへの武器供与を牽制できる。

これで中国はメンツを潰された。岸田首相のウクライナ訪問は絶好のタイミングだったと評価できる。

さらに、中国は中立を装い、ゼレンスキー大統領との直接またはオンライン会談を望んでいたといわれる。これは、いうまでもなく「ニセの和平」を押しつけるためだが、岸田首相のウクライナ訪問が同時期になったので、消えてしまった。(約1カ月後の4月26日、電話会談を行った)

岸田首相がお土産に広島の「必勝しゃもじ」をもっていったことが国会などでとりあげられているが、中国の「ニセの和平」が現状肯定でロシアの侵攻を認めるものなので、力による現状変更を認めないのであれば、ウクライナの「勝利」を祈ることは、中国の「ニセの和平」を否定するという意味で、国際的に正しいメッセージだ。

ちなみに、英BBCは、虐殺が行われたキーウ近郊のブチャで献花する岸田首相と、クレムリンで戦争犯罪人のレッテルを張られたプーチン大統領と習近平主席が会談する写真を対比的に掲げており、今回の岸田首相のウクライナ訪問がいいタイミングであったことを報じている。

なお、国内には、今回の電撃訪問があまりにオープンすぎたという声もある。

自民党の外交部会では、首相の現地入りが事前に報じられたことについて「ばれているなら報道協定をしなくては駄目だ」などと、政府の情報管理を疑問視する声が複数出た。情報、危機管理の観点から問題を指摘する声は多い。

なにしろ戦時下であるので、首相訪問は極秘に進められればそれに越したことはない。筆者も、電撃訪問というわりには、随分とオープンだなと感じた。

しかし、この日ウ首脳会談と中ロ首脳会談が同時期というタイミングを考えると、むしろオープンにしたほうがより安全で、世界へのメッセージもより効果的であったと思う。

そもそも日本はまともな軍隊を持っていないので、どこまで海外で首相の護衛ができるだろうか。今回は自衛隊が同行せずに、ウクライナに警護を委ねたようだ。これは、自衛隊が普通の役所のような行政組織であるために、やれることがポジティブリストになっており、海外警護が基本的にはないためだ（決められていることしかできない）。

もし、海外の軍隊であれば、国際法などに従うための、やってはいけないこと、すなわちネガティブリストだけなので、命令一つで（もちろん相手国の同意が必要だが）相手国に派遣できる。このあたりは、憲法改正を含めて対応しなくてはいけない課題だ。

いずれにしても、習近平主席がロシアを訪問しているときなので、ロシアも迂闊なことはできないという意味で、オープンにしたほうが、岸田首相の不測の事態の確率も少なくできるだろう。

今回のウクライナ訪問は、外務省でも3月21日昼ごろに公表している。それ以前に、特定のメディアには、今回のウクライナ訪問で取材を認めているような画像も報道されている。もちろん、ロシア側には事前に連絡されている。

ここまで書いてくると、勘のいい読者なら、中ロ首脳会談のかなり確度の高い情報を事前に入手していないと、今回の電撃的なウクライナ訪問はできなかったとわかるだろう。当然ながらアメリカからも情報を得ていたと思う。

3月16日の日韓首脳会談、20日の日印首脳会談、21日の日・ウクライナ首脳会談と一連の首脳会談は見事だった。

岸田首相は、これで「外交の岸田」の面目躍如だ。最近自信に溢れ、何か吹っ切れたように思える。

ウクライナに固執するロシア、誤算続きで戦闘は長期化。短期で終結させるにはプーチン氏の失脚しかない

ロシアのプーチン大統領は国民向け新年のメッセージで「祖国防衛は神聖な義務」と述べ、ウクライナ侵攻の長期化を示唆した。ロシアが引き起こした戦争を止める方法はないのか。

2022年2月の侵攻開始以降、ロシアにとっては誤算続きだ。まず短期間でウクライナの首都キーウが陥落し、ゼレンスキー大統領が国外逃亡するという計画が実現しなかった。ウクライナ人はロシアを「解放者」として歓迎するとみていたようだが、大外れだった。

次にウクライナの士気の高さをロシアは見くびっていた。ウクライナは昨年11月、ロシアに奪われていた南部ヘルソン州の州都ヘルソン市も奪還した。

そして、ロシアは北大西洋条約機構（NATO）、特に米国がこれほど介入してこない

と高をくくっていた。米国はウクライナに派兵はしておらず、直接ロシアを攻撃する長射程の武器は供与していないが、ウクライナ国内のロシア軍を叩くには十分な武器支援をしている。

天然ガスに依存する欧州各国は対ロ制裁に消極的で、ウクライナに圧力をかけるはずだという前提も誤りだった。西側諸国の経済制裁の足並みがそろわないという見立ても外れた。

さらに、欧米と日本以外の非西側諸国が反米スタンスを取ることでロシアに有利に働くとの見方も当たっていない。中国は上海協力機構会議で、ウクライナ戦争への疑問や懸念をロシアに伝え、インドは、「今は戦争の時期ではない」と批判した。

ロシアのこうした誤算の連鎖は決して偶然ではない。何より、キーウに侵攻されたとき、国外脱出を勧められたゼレンスキー氏は「逃走用の車ではなく武器をくれ」と返答したともいわれている。

これがロシアの最大の誤算だった。ウクライナの士気が上がり、米国も一定の武器支援を行うことになった。西側諸国ではロシアへの経済制裁で一致し、中国など非西側諸国もロシア批判をせざるを得なくなった。

ロシアとしては、大きな犠牲を払ってウクライナの東部と南部4州の併合を宣言しただけだ。その地方でもウクライナが戦況を盛り返している。

戦争はどちらかが勝つまで行われる。前記の状況であれば、ウクライナ戦争はプーチン氏の言う通り長期化するだろう。この場合、経済制裁では中国やインドなどで抜け穴があるものの、ロシアは長期的に勝利するとはいえない。

短期で終わるとすれば、見せかけの停戦かプーチン氏の失脚だ。もしくはゼレンスキー氏に不測の事態が生じたり、米国が武器供与を停止することだ。後者になればプーチン氏の勝利なので、ぜひとも避けたいところだ。

前者の見せかけの停戦は、いまのウクライナの勢いからみれば可能性は少ない。となると、戦争を短期間で終結させるにはプーチン氏の失脚が一番望ましいことだといえる。プーチン氏はロシアの指導者なので戦争責任がある。独自のロシア観からウクライナに戦争を仕掛けたので、身から出たさびとはいえ、しっかりと責任を取るべきだ。

米独がウクライナに戦車供与 日本も貢献できることはある

2月、米国やドイツなど欧州各国がウクライナに戦車を供与すると発表した。米国は「M1エイブラムス」、ドイツは「レオパルト2」を供与する。いずれも数カ月後になるといわれたが、3月末にはNATO加盟国からの戦車供与の動きが加速している。これらにより、春の終わりから初夏にかけてウクライナは南部都市の奪還に向けて攻撃に打って出ようとしている。ロシアはこれに反発している。

ロシアによるウクライナ侵攻から11カ月が経過した時点でも、戦況は膠着状態である。ロシアは「アルマゲドン（最終戦争）将軍」とも呼ばれるスロヴィキン将軍を3か月で解任し、新たな総司令官に軍の制服組トップ、ゲラシモフ参謀総長を就け、新たな軍事行動に出ようとしている。

ウクライナもそれに対抗して反転攻勢を狙っている。そのために、欧米に武器支援を求め、米独などがそれに応じた形だ。フランスも追随する可能性がある。となると、ウクライナ戦争は一段高いレベルになる可能性がある。

ウクライナはじわじわと領土を奪還しており、今回の米独による戦車供与でその傾向を維持できるのではないか。少なくともロシアに一方的に押し込められることはないだろう。

日本に何ができるのかといえば、米独のようなことは簡単ではない。というのは、日本では、「防衛装備移転三原則」があるからだ。2013年12月に定められた国家安全保障戦略に基づき、武器輸出三原則等に代わる新たな原則として、防衛装備移転三原則を策定した。

それによれば、紛争当事国への防衛装備を移転しない。移転を認める場合には厳格審査と情報公開、防衛装備移転での適正管理を定めている。

もっとも、これは時の政権の運営方針であって、法改正などを伴わない。要するに、岸田文雄政権が決断すればいいものだ。

2023年1月8日、ヒゲの隊長こと佐藤正久参院議員は「【廃棄される予定のMLRS、ウクライナは所望】勿体無い《もったいな》い、装備移転原則を見直し、命を守る為の移転を！」とツイートした。昨年に防衛三文書が公表されたが、「防衛力整備計画の概要」で、MLRS（自走多連装ロケット砲）は2029年度までに用途廃止とされたことを受けてのツイートだ。

ＭＬＲＳは、米国がウクライナに供与している多連装ロケット砲と類似のもので、英国がすでに供与している。ウクライナに日本が供与しないで、廃棄するのはもったいないと佐藤議員は言う。素人目から見てもそのとおりだ。前述の防衛装備移転三原則に照らしても、ＮＡＴＯに供与し、適切に管理してもらえばいいだろう。

もし、岸田首相が1月の欧州歴訪の時、電撃的にウクライナを訪問し、この話をお土産としていたらどうだっただろうか。これ以上、Ｇ7サミット（先進7カ国首脳会議）議長国として世界にアピールできる話はないだろう。２０２３年2月の時点で、Ｇ7のうち、ロシアの侵攻後に対面でゼレンスキー大統領と会談していないのは日本だけだった。

もちろん、こうした電撃的決定にはリスクがある。それでも困ったときに助けるというのは、日本が困ったときのための「保険」にもなると思う。

ロシアのウクライナ侵攻から1年、世界はどう変わったのか

ロシアのウクライナ侵攻から1年が経過した。プーチン大統領は長期戦も辞さない構え

を示している。

この1年で世界はどう変わったのか。次の時代に向け、どんなリスクに備えるべきか。

まず古典的な国家間戦争が現実になった。

ウクライナ戦争以前、対テロ戦争が米同時多発テロ事件から勃発した。戦争というが、国内外におけるテロリズムとの戦いであり、相手は国家ではない。アルカーイダやＩＳＩＬは国家というより過激派集団である。

一時は古典的な国家間戦争はもう起こらず、テロ組織との戦いだけが残ると思われた。しかし、本格的な国家間戦争が起こることをウクライナ戦争では思い知らされた。

次に、核の脅威も現実化した。ロシアは核兵器使用を何度も示唆し、核を脅しに使っている。戦後の核管理体制は、ＮＰＴ（核兵器の不拡散に関する条約）だ。つまり、第二次世界大戦の戦勝国である米国・フランス・英国・中国・ロシアの核所有5カ国以外の核兵器の保有を禁止しようとしている。

●NPTへの不信と国連の機能不全

ＮＰＴに加盟していないインド・パキスタン・イスラエル、そして北朝鮮は核開発をしているが、ＮＰＴは５大国は核を脅しに使わないという前提だ。それなのに、ロシアが公然と核を脅しに使うとなれば、ＮＰＴ自体の信頼性が大きく揺らいでしまう。

それと大いに関係するのが、国連の機能不全だ。国連には、核所有５カ国を常任理事国として安全保障理事会があり、これが最も重要な機関だ。しかし、常任理事国のロシアがウクライナに対し戦争を仕掛けると、いかなる決議案であっても常任理事国は拒否権を持っているので、国連は全く機能しなくなる。

最後に、国連が頼りにならないので、ＮＡＴＯのような同盟に頼らざるを得なくなった。フィンランドは、「ウクライナ侵攻ですべてが変わった」としてＮＡＴＯ加盟の意向だ。スウェーデンの与党「社会民主党」は長年ＮＡＴＯ加盟に反対という立場だったが、安全保障の立場は根本的に変わったとして、やはりＮＡＴＯ加盟に方向転換だ。

今後、日本はどのようにすべきか。筆者は繰り返して述べているが、**戦争の確率を減らすために重要なのは、「⑴相手国の民主化、⑵同盟強化、⑶防衛力増加」**である。

中国、ロシアと北朝鮮が民主主義国家になる可能性はまずないので、(2)と(3)が日本の選択肢だ。日米同盟のほかに、日本と英国との準同盟、日本とオーストラリアの準同盟でしのぎ、その先にはNATO加盟の準備をするのだろう。同盟強化の中には、安倍晋三元首相が言い出した核共有の議論も避けては通れない。(3)の防衛力増加では反撃能力をさらに磨くためにも、防衛費の一段の増加に臨まないといけない。「第一列島線」での中距離ミサイル配備も中国、ロシアと北朝鮮への対抗のために必要だ。

経済分野では、ロシア、中国など専制主義国と西側民主主義国との分断（デカップリング）は既に進行中だ。特にエネルギーや先端技術で顕著なので、その分断を前提として経済活動を行う覚悟も求められる。

変わる世界秩序で米国が中国を抑えつける好機

中国からロシアへの兵器供与を断念するよう米国が求めるなど、米中対立が強まっている。急速に台頭する国が既存の大国と衝突するのは歴史上、珍しいことではない。

覇権国の歴史をみると、ナポレオン戦争終了時（１８１５年）から第一次世界大戦勃発（１９１４年）までが英国、第一次大戦終結（18年）から第二次大戦（39年）までの間は米国・英国・フランスの多極体制、第二次大戦終結（45年）から湾岸戦争・ソビエト連邦崩壊（91年）までは米ソの両極体制・冷戦、それ以降は米一極体制だ。

ウクライナ戦争で、ロシアはウクライナにも勝利できないことが改めてわかったので、米国の対抗になり得ない。台頭してきた中国が唯一の競争相手だ。自由民主主義と専制権威主義の対立である点は冷戦時と変わらないが、多くの発展途上国・新興国にとっては中国モデルが魅力的なものとみえる。

習近平国家主席は、中華人民共和国成立１００周年に当たる２０４９年に、米国を凌駕する社会・共産主義大国として覇権を取るとしている。その前に台湾統一があり、それは遅くとも5年以内と多くの専門家はみている。

中国は経済を発展させることで、中国共産党が権力を持つことを国民に納得させてきた。だが、最近は国民１人当たり国内総生産（ＧＤＰ）が1万ドルを長期に超えにくいという社会経験則にぶち当たっているように見える。（詳細は後述）

となると、ウクライナ戦争で世界秩序が大きく変わろうとしている今、米国にとって中国を抑えつける絶好のチャンスだ。この好機は米国の2大政党の民主党と共和党も共に認識しているので、誰が米国の大統領でも同じだ。

米中間で対立が激化したのはトランプ前政権時だが、バイデン政権が発足して以降も緊張関係は続いている。米国はトランプ政権から、5G（第5世代移動通信システム）におけるファーウェイ（華為技術）に象徴されるように、中国企業のハイテク分野での活動を排除した。輸出管理や中国の対米投資に対する審査強化は今後も続く。

トランプ政権ではヒューストンの中国総領事館閉鎖など産業スパイ対策があったが、バイデン政権下では人権とビジネスに関する規制が一層強化されるようになった。一例が「ウイグル強制労働防止法（UFLPA）」だ。

バイデン政権では民主党らしく産業政策を重視している。例えば、半導体補助金を含む競争力強化のための大型投資法案「CHIPSおよび科学法」や、史上最大の気候変動対策予算を含む「インフレ削減法」が成立した。

安倍晋三元首相がかねて各国首脳に説いていた中国の脅威がいよいよ現実化してきた。自由民主主義と専制権威主義の対立であることから、日本としては自由民主主義国としての振る舞いが求められるし、日米同盟も堅持するのは当然だ。

もしウクライナのNATO加盟が認められたら、どういう結果になるか

●ロシアの苦しい展開

２０２２年２月24日にロシアのウクライナへの軍事侵攻が始まり、９月30日、ロシアのプーチン大統領はウクライナの東部や南部の４つの州を一方的に併合した。これに対し、ウクライナのゼレンスキー大統領はＮＡＴＯへの加盟を申請する方針を表明し、ロシアに対抗する姿勢を示した。

ロシアはかなり苦しんでいる。昨年９月21日、兵力が足りないため、ロシアは部分動員（約30万人の予備役）をかけ、国内からの反発をまねいている。ロシアは当初２週間で、ウクライナのキーウを陥落できるとしていたが、キーウからは撤退を余儀なくされ、戦闘

は泥沼化して、当初の目論見はまったく外れた。ロシアは、部分動員、ウクライナ東部からの撤退の後に、4州の併合という展開は傍《はた》から見ても苦しいことは明白だ。

ウクライナは当初、首都キーウに攻め込まれたので国民への動員を呼びかけたが、今になって反転攻勢により各地で優勢になっている。

なお、ロシアによるウクライナ侵攻当初、ウクライナによる動員に批判的な意見も日本国内の一部の識者にあったが、そうした人が今のロシアによる部分動員にだんまりなのは、ダブルスタンダード、悪く言うと親ロシアのプロパガンダを行ったのだとバレてしまった。

ロシアのウクライナ4州の併合については、欧米は激しく非難している。

国連安保理では、常任理事国の米国と非常任理事国のアルバニアが共同で決議案を提出。その中で、親ロシア派勢力の「住民投票」を違法とし、ロシア軍の「即時撤退」を求めた。しかし、ロシアの拒否権行使で廃案になった。

●ウクライナのNATO加盟と「戦争回避」

ウクライナによるNATO加盟の動きは絶妙だ。ウクライナとしては安全保障のために是非ともほしい手段だ。しかし、NATOは紛争国の加盟を原則として認めない。NAT

Oが必然的に紛争に関与してしまうことになるからだ。ウクライナをNATO加盟国にすれば、ただちにロシアと交戦状態に入ってしまう。核兵器の使用も辞さないロシアとの交戦状態に入らないように、NATO諸国は軍隊の派遣は避け、ウクライナへの武器供与も慎重に行ってきた。

ウクライナのNATO加盟について、NATOのストルテンベルグ事務総長は「ヨーロッパのすべての民主主義国にはNATOへの加盟を申請する権利があり、加盟国はその権利を尊重する」と述べたが、一方で「全30加盟国の合意が必要」との原則論を述べた。アメリカのブリンケン国務長官は「NATOの門戸は開かれている」と述べたが、サリバン大統領補佐官は「プロセスは別の時期に取り上げられるべきだ」とした。

ウクライナは、ロシアの併合批判があるときを狙って、NATO加盟申請を持ちだし、その可能性を高める作戦だろう。NATO加盟については、すでにスウェーデン、フィンランドが意向を示しているので、ウクライナもそれらに便乗するのがベストシナリオだ。（フィンランドは２０２３年４月４日に正式加盟、31番目の加盟国になった）。

それにしても、ロシアによるウクライナ４州の併合は、１９３０年代の世界の歴史を思い出させる。

1938年、ナチス・ドイツはオーストリア、チェコのズデーテン地方を併合した。そのときも「ドイツ系住民の保護」を大義名分にした。そのとき、英仏は戦争を回避したために、併合を事実上容認した。1939年には、ドイツとソ連がポーランドに侵攻した。またソ連は1940年にバルト3国を併合した。今のロシアによる併合と、その理由はそっくり同じだ。

●NATOが戦争回避に役立ってきた

少し長い目で歴史を見てみよう。第二次世界大戦前には、専制主義国の勢いが増していた。左図は、世界の中での、「閉鎖的な専制政治、選挙的な専制政治、選挙的な民主主義、自由な民主主義」（この順番に、専制主義から民主主義の程度を示す）の国の比率の歴史データだ。

このデータは、V-Dem研究所によるものだ。2014年にスタファン・リンドバーグ教授によって設立された独立研究所で、スウェーデンのイエーテボリ大学政治学部に置かれている。

《世界の中の民主主義国と専制主義国の比率》

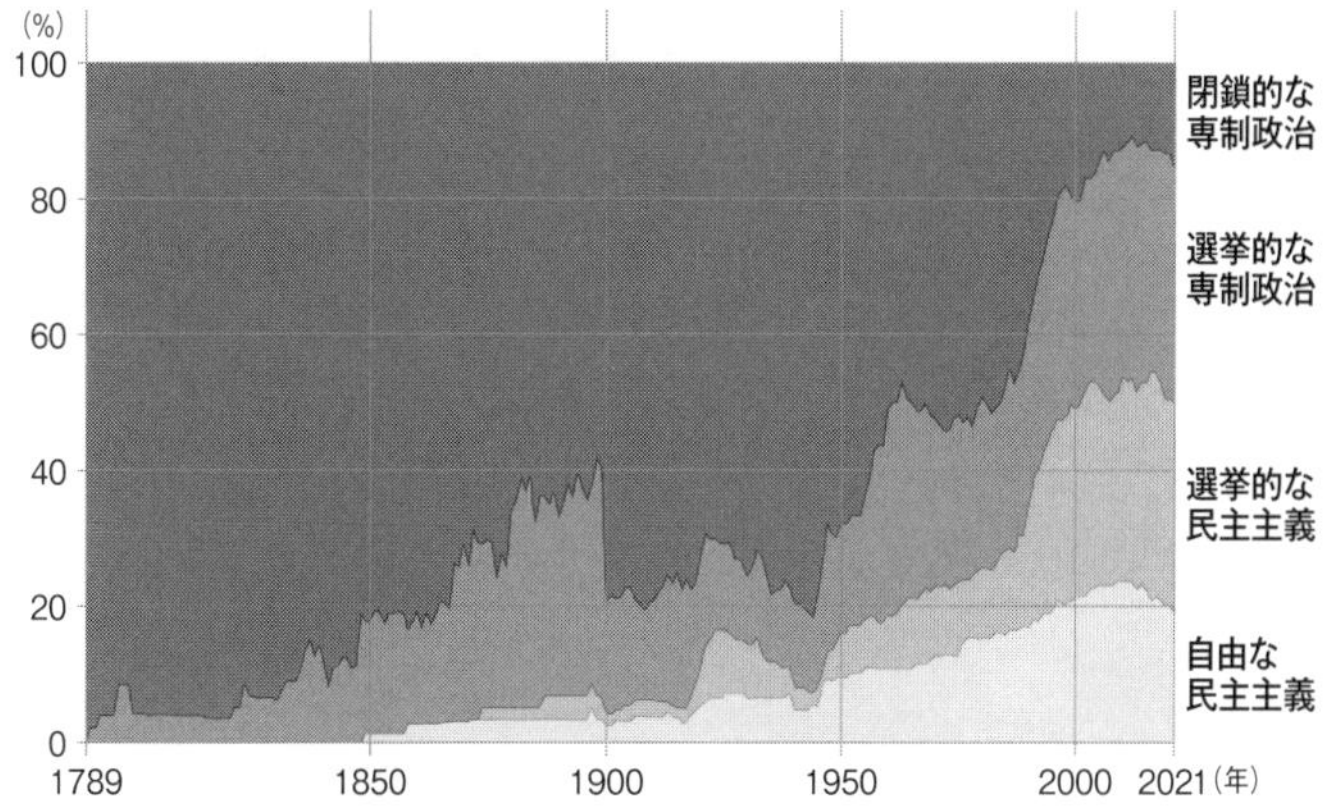

（資料）データは、V-Dem研究所による

歴史を遡ると、世界での民主化は徐々に進むが、一時的に逆回転するときもある。第二次世界大戦前はそういう時期だった。

当時はＮＡＴＯが存在せず、大戦に突入した。

だが、今はＮＡＴＯがある。75年間も大規模な戦争を回避してきたＮＡＴＯの構成国の大半は民主主義国である。民主主義国の集合体であるＮＡＴＯが戦争を回避してきたという事実は、筆者がしばしば言及する、戦争確率を減らすためには「(1)民主主義国、(2)防衛費のアンバランス、(3)同盟（集団的自衛権）が重要だ」という事実と整合的だ。だから、この図はＮＡＴＯが戦争回避に役立ってきたことを数値化したことにもなる。

●ウクライナのNATO加盟で一時的な安定状態も

最後に、ウクライナのNATO加盟と、ロシアによる侵攻との関係について、筆者の大胆な一つの着地点を書いておこう。

ロシアのウクライナ侵攻への大義名分は、ロシア系住民の保護だという。その根っこには、ウクライナはロシアのものであるという素朴な感情がある。一般ロシア人にはやや理解しにくいが、少なくともプーチン大統領はそう思い込んでいる。一般ロシア人には理解しにくいからこそ、ウクライナに派遣されたロシア人兵士の士気が上がらないのだろう。そこで、ロシア軍は苦境に陥っている。

一方、ウクライナにとっていきなりロシアが侵攻してきたので、領土防衛という大義名分はウクライナ人であれば誰にも理解しやすいのでウクライナ兵の士気は高い。これがウクライナ善戦の大きな理由だ。

今ゼレンスキー大統領は、ウクライナ4州の奪還を主張している。それは正しい言い分である。

ここで頭の体操であるが、仮にウクライナ4州以外のウクライナについて、NATO加盟が認められるとしてみよう。まったくの架空の話であり、ロシアの侵攻を認めることになるので、道義的にはとても賛成できるものではないが、あくまで頭の体操だ。

ウクライナ4州以外の地域は交戦状態にはなくNATOに加盟できるので、これまでNATO加盟国では大きな戦争がないという事実を踏まえれば、今後安全保障が確保されるだろう。一方、ロシアとしては、軍事的にも国際政治的にも劣勢の今、NATOと直接交戦せずに、領土拡大という野望が一応達成できる。ただし、これでは国際法を破ったロシアのやったもの勝ちという不公正な結果にもなる。であると、4州について、ロシアによる併合ではなく、特別な位置づけが必要になるかもしれない。

いずれにしても、こうなると、NATOとロシアが一触即発の状況になる。ただし、そのほうが一時的な安定状態になるかもしれない。

日本としては、世界情勢の変化を踏まえ、欧州の安定を図りつつ、自国の安全保障を強化するため、米英豪のAUKUS加盟やNATOへの接近などが必要になってくるだろう。

第5章

習近平独裁体制になった危うい中国

習政権3期目で進む「権限集中」経済成長には逆効果か

中国の習近平国家主席が2023年3月の全国人民代表大会（全人代）で3選された。3期目の体制は、実力者の李克強首相が退任し、周りをイエスマンばかりで固めているのは多くの識者の指摘どおりだ。いよいよ本格的な独裁体制スタートだといえる。

李克強氏の後任となるナンバー2の首相は、李強氏だ。李克強氏と名前は似ているが、習氏の典型的なイエスマンである。ジャーナリストの近藤大介氏によると、上海市民は同氏が共産党上海市委員会書記時代に行った新型コロナに対するロックダウン（都市封鎖）を揶揄《やゆ》して、同氏に「マイナス13・7」というニックネームをつけた。この数字は、当時の上海市の経済成長率である。これをみても、経済政策には明るくないのがわかる。

今回の全人代では、組織改革により共産党トップの習氏に権限を集中させた。具体的には、政府（国務院）が担ってきた治安維持、金融監督、ハイテクなどの権限を実質的に共産党に移管した。

これまで何度も強調してきたが、中国ではすべての組織の上位に共産党がある。共産党の決定は憲法より上位で、中国軍も共産党の軍隊だ。

今回の共産党への権限集中で特に注目されるのは、金融監督やハイテク分野の移管だ。銀行・保険・証券の監督部門や中央銀行の機能を統合して共産党に移し、ハイテク部門の育成や教育を担う部署も共産党につくる。

中国ではこれまで、そうした専門的な部門は、共産党ではなく政府で扱っていた。党内の権力闘争が行政や国民生活の混乱を招かないように歯止めをかけてきた。しかし、今回の組織改革は鄧小平氏が提唱した「党と政府の分離」の流れを変えるものだ。党と政府の分離は結果として分権的な統治になり、経済成長には好影響があった。これは、民主主義の先進国が分権的な統治が経済成長の基本的要素になっていることからもわかる。

金融やハイテクは、特に専門的なので政治から距離を置く必要があるが、今回の全人代での組織改革は、それとはまったく真逆の方向だ。日本でいえば、日銀や金融庁、ハイテク部門を自民党の部署とするようなものだ。

民主主義国でない専制国家では、産油国を除き1人当たりGDPは1万ドルを長期的に超えないという「中所得国の罠」がある。これは歴史事実だ。今の中国はその際《きわ》にある。そのロジックは、後述するように自由で分権を基調とする資本主義経済と長期的には相いれないというもので、ノーベル経済学賞を受賞したミルトン・フリードマン氏が60年も前に書いた『資本主義と自由』にある。この社会科学の一般論の前には、専制国家の中国も決して例外ではないのではないか。

「減速」では済まない中国経済、貿易統計からはマイナス成長でもおかしくない

中国国家統計局は、2022年10—12月期のGDPが前年同期比2・9％増となったと発表した。7—9月期の3・9％増から減速したと報じられている。

本書の読者であれば、筆者が中国の統計を信用していないのをご存じだろう。

前任の李克強首相はかつて、中国のGDPは当てにならないとし、鉄道貨物輸送量、銀

行融資残高、電力消費を見ているとされたが、筆者に言わせるとそれらの指標も統計数字として信用できない。

そこで、筆者は、外国統計と照合でき、改竄《かいざん》のやりにくい貿易統計から中国のGDPを見るようにしている。

10―12月の貿易統計における輸出と輸入の前年同月比をみると、輸出は10月が▲0・3%、11月が▲8・7%、12月が▲9・9%だった。輸入は10月が▲0・7%、11月が▲10・6%、12月が▲7・5%だった。

海外品の購入は国内消費との連動があり、GDPとも連動しやすい。また、輸出は重要なGDP構成項目の一つだ。

定性的にいえば、新型コロナウイルスの感染急拡大により国内消費は減少し、内需不振に連携する形で輸入も大きく減少したのだろう。

他方、世界的な需要減速を受けて輸出も急減した。ざっくりいえば、GDPは消費、投資、純輸出（輸出―輸入）で構成されている。貿易統計から、構成ウエートの大きな消費はマイナス、純輸出はトントンと推測される。どうみても、GDPが2・9%増とは思えない。マイナス成長であっても不思議ではない。

●人口減少に向かう中国

何しろ、統計はあってもないような国だ。その中国をめぐっては、昨年末の人口が減少に転じたと報じられた。中国では、1979年から2014年まで「一人っ子」政策が取られていた。人口の維持には2人の子供が必要だ（正確には2・07人）。この水準を維持できなくなると、30年程度後に人口は減少に転じる。一人っ子政策をしていたのに、人口減少はずいぶんと遅く到来したものだ。

新型コロナでも、死者数があまりに現実と乖離しており、もう中国の公表数字を信じろといっても無理だろう。

こうした事情は、数量政策学者の筆者にとってはとても残念だ。と同時に、大国が統計をないがしろにすると、国家の状況が把握できずに真に必要な政策が打てなくなる。

となると、中国の先行きには不安しかない。「ゼロコロナ」から一転して政策変更したのも、正確な実情把握ができていなかった可能性がある。

経済についていえば、安全保障環境が厳しくなっているので、先進国との間でデカップリング（切り離し）が不可避だ。これは確実に中国経済には不利だ。さらに、交易を通じて先進国の技術も手に入りにくくなる。これも中国の発展を阻害するだろう。

結局、非民主主義・専制国家で、公表数字がデタラメで、先進国となじめない中国の将来は必ずしも明るいとはいえない。やはり、非民主主義・専制国家は長期的には経済成長しないというこれまでの通念が再確認されるのではないか。

インド経済が中国を上回る日

そんな中国を尻目に、インドの人口が中国を上回り世界一になったと報じられた。国内総生産（GDP）でもインドが上位になることはあるだろうか。

民主主義と経済成長の関係について改めて整理しておこう。政治的な独裁は、自由で分権を基調とする資本主義経済とは長期的には相いれないというのは、ノーベル経済学賞学者のミルトン・フリードマンが60年以上も前に『資本主義と自由』で喝破している。

筆者は、このフリードマンの主張について、独裁的な政治では民主国家にならず、ある一定以上の民主主義国にならないと、1人当たりGDPは長期的には1万ドルを超えにくいという「中所得国の罠」という形で独自の解釈をしている。

民主主義指数と1人当たりGDP（2000～2019年平均）

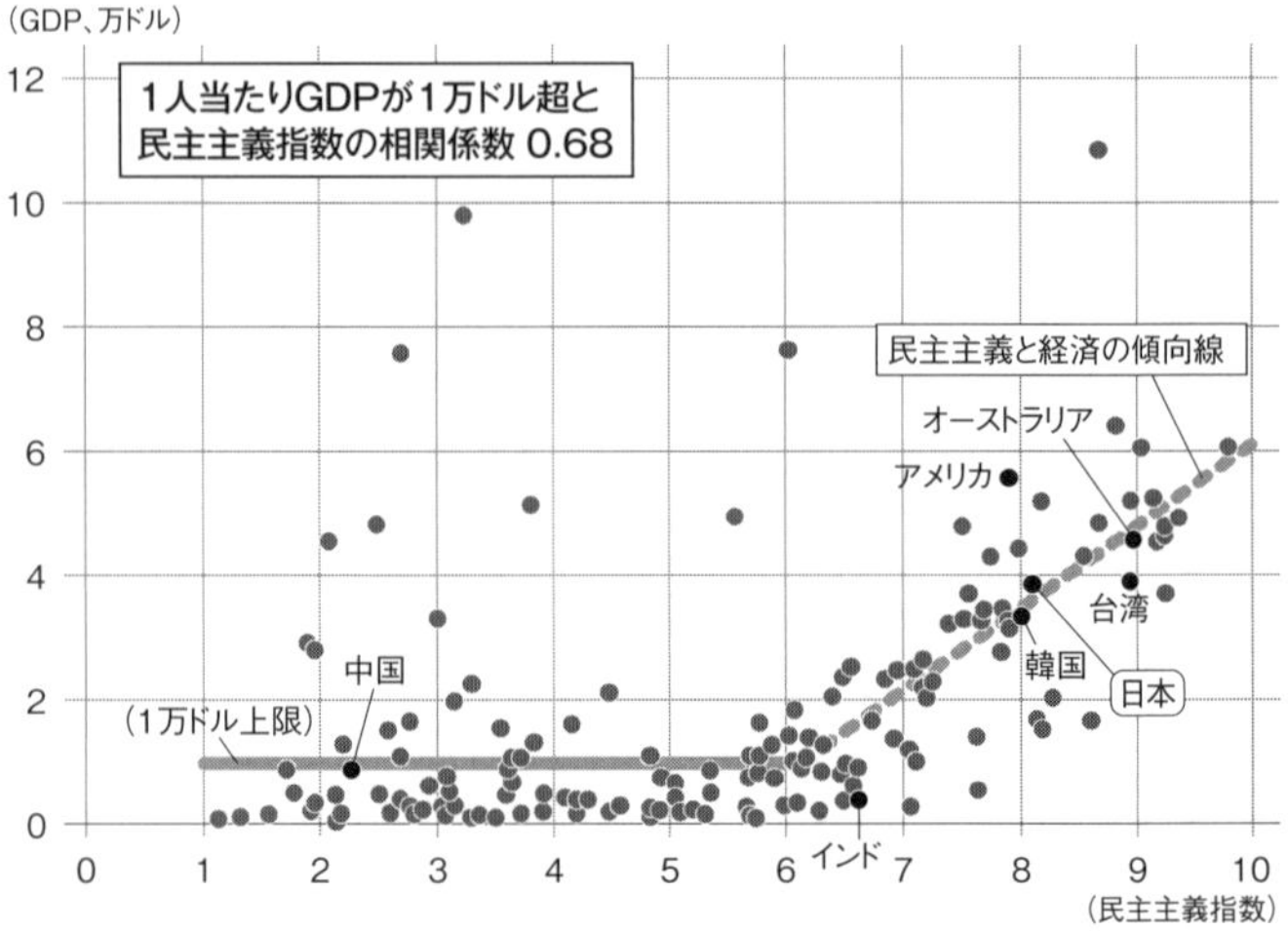

（資料）民主主義指数は、The Economist Intelligence Unit 2020
1人当たりGDPは、IMF 2017 constant dollar

定量的にいえば、英エコノミスト誌が公表している民主主義指数（0～10、10が最高）で「6」未満だと一部の産油国などを例外とすれば1万ドルの壁を越えず、6以上になると民主主義度に応じて1人当たりGDPは高まり、「10」で6万ドル程度になる傾向がある。

中国の民主主義指数は「2」程度しかない。現在の1人当たりGDPは1万ドル程度だが、筆者は前述した経験則から、1万ドルを長期に超えることはできず、最後は民主主義対非民主主義の覇権争いに負けるだろうと予測してきた。

現在の中国の人口は約14億人なので、ＧＤＰは14兆ドル。今後25年で人口は13億人となり、１人当たりＧＤＰも頭打ちの公算が大きい。ＧＤＰは13兆ドル程度から大きく増加することはないだろう。

一方、インドは現状の人口が約14億人で、１人当たりＧＤＰはまだ0・23万ドル、ＧＤＰは3・２兆ドルだ。人口は今後25年で16億人程度まで増加するだろう。現在、「７」程度であるインドの民主主義指数が維持されれば、１人当たりＧＤＰは２・３万ドル程度まで高まる可能性がある。すると、ＧＤＰは約36兆ドルと、今の米国をしのぐ水準になるだろう。

いずれにしても、インド経済が中国経済を抜くのは時間の問題とみられる。

この構造変化は世界秩序に大きな影響を与える。ここ25年、中国が世界経済で台頭し、同時に安全保障でのプレゼンスを高め、「民主主義」対「専制主義」の対立になった。ところが、中国に代わってインドが躍進すると、専制主義が後退するので、世界で戦争確率は低下することになるだろう。

ここから10年間、専制主義が幅を利かせている不安定な時代をしのげれば、次には明るい未来が待っている。

インドは民主主義国家なので、経済安全保障の考えをする必要はあまりなく、デカップリング（切り離し）経済もなくなるだろう。インドは英国圏でもあり交易が容易に始められ、インドとの経済を深めると成長の果実を受けられるので、インドは中国に取って代わるのではないか。

グローバルサウス（南半球を中心とする途上国）も、インドとの関係を深める中、専制主義の中国モデルに代わり、民主主義のインドモデルが台頭するだろう。

安倍晋三元首相がいち早く見越した「自由で開かれたインド太平洋」の時代になる。

中国は国際社会の「無法者」サラミスライス戦略から、一気に来る有事への警戒を

中国が連日、日本周辺に接近している。岸田文雄政権は防衛力強化の方針を決めたが、有事の備えには何が必要か。

中国が日本を挑発しているのは、尖閣周辺の中国船だけではない。防衛省は２０２３年１月１日、中国軍のＷＺ７偵察型無人機１機が同日午前から午後にかけ、沖縄本島と宮古島の間を抜け、東シナ海と太平洋を往復したと発表した。同機種の飛行確認は初めてだという。

中国は少しずつだが確実に日本を侵食している。２０００年ごろから、「核心的利益」という表現で、ウイグル、南シナ海、香港、台湾、尖閣を完全に自国領土とするという主張をしている。内陸のウイグルでは民族浄化とも見間違うかのような政策を展開してきたが、南シナ海では徐々に領有権拡大を図ってきた。つまり、時間をかけることで大きな戦略的変化になる小さな行動のゆっくりした積み重ねを繰り返してきた。

これは「サラミスライス」戦略といわれている。サラミを薄切りするように少しずつ入り込むやり方だ。南シナ海で行われたことが確実に東シナ海でも行われてきている。尖閣周辺や今回の無人機偵察は東シナ海での中国のサラミスライス戦略の一環である。

南シナ海での中国のサラミスライス戦略は、フィリピンの申し立てに２０１６年にオランダ・ハーグの国際仲裁裁判所で「国際法上の法的根拠がなく、国際法に違反する」との判決が出て、中国の主張は根拠なしとなって負けている。

それにもかかわらず、中国はこの判決を無視しており、すでに国際社会での無法者になっている。東シナ海でもやはり無法な行いをすると考えるべきだ。

米国の発表によると、2022年12月21日、米空軍の偵察機が南シナ海上空の国際空域で通常の偵察活動を行っていたところ、中国軍の戦闘機が機首から6メートル以内に接近し、飛行を妨害したという。

中国からは、米国側が挑発的な行動をしたのが原因だとの反論がされているが、いずれにせよ、中国は国際法の無法者だから、のれんに腕押しだ。米軍は声明で「すべての国が国際法に従って国際空域を安全に使うよう望む」として中国に自制を求めたが、米中において、今後、偶発的な接触がないとはいえない。

近年、南シナ海上空で米国やその同盟国の航空機に対し、中国軍機による危険な妨害行動が急増している。それは南シナ海にとどまらず、東シナ海まで広がっているとみるべきだ。

冒頭の中国軍の偵察型無人機に対して航空自衛隊の戦闘機がスクランブル発進した。無人機は東シナ海から飛来し沖縄本島と宮古島の間を通過して太平洋に出て、先島諸島の南を飛行した後反転し、ほぼ同じルートで東シナ海に戻った。次は確実に段階を上げて日本を挑発するだろう。そして、東シナ海の南シナ海化と台湾封鎖に向かってサラミスライス戦略が続くのではないか。

現状の中国有事は、少しずつだが決して後退しないサラミスライス戦略だが、来るときは一気に来ることを忘れてはいけないので気が抜けない。

中国人の土地「爆買い」、外国人の生活保護「相互主義」という考え方から判断を

●法制度はあるが不十分

2022年9月24日、大阪朝日放送で放映された「正義のミカタ」は、中国人による土地の「爆買い」が一つのテーマだった。こうしたことについて何か法規制はないのかという質問が出ていた。

今の日本に法規制があるかというなら、菅義偉政権のときに、重要土地規正法ができている。しかし、現状はそれではまだ不十分だということになる。

　菅政権の「重要土地利用規制法」（正式には、重要施設周辺及び国境離島等における土地等の利用状況の調査及び利用の規制等に関する法律〈令和3年法律第84号〉）は、重要施設（防衛関係施設等）の周囲おおむね1000メートルの区域内及び国境離島等の区域内の区域で、その区域内にある土地等（土地及び建物）が機能阻害行為（重要施設や国境離島等の機能を阻害する行為）の用に供されることを特に防止する必要があるものを、注視区域として指定することなどを定めている。こうした法令はどこの国でもあるものだ。

　番組中にも少し言ったが、常識的な法規制なのにもかかわらず法案成立までには反対が多かった。表向きには反対がしにくいので、内閣参与だった筆者をまったく別の発言で標的にし、国会に「呼ぶ、呼ばない」で紛糾するなど、法規制とは無縁なところでの審議遅延行動もあったようだ。

　もっとも、この法律は安全保障上の要請によるもので、それから外れるものは規制できない。

●韓国で日本人は生活保護の対象か?

筆者は、このTV番組などでは、いきなり主張を言うのではなく、その論拠まで説明するようにしている。そこで、重要土地規正法の前提にもなっている「相互主義」の話をした。

相互主義とは、相手国の自国民に対する扱いと、自国における相手国民に対する扱いを同じようにすることだ。この考え方は、国際的な関係ではしばしば用いられている。「お互い様」というわかりやすい原理だ。

筆者は、いろいろな国際問題を考えるときに、相互主義をしばしば援用する。

番組中に、出演者から生活保護も相互主義でやってほしいという発言があった。これは、その前週に別の番組で、筆者が生活保護について語っていたからだ。

外国人について生活保護がどこまで必要か、という議論がある。最高裁判例では「生活保護は日本人が対象となっている」ことから、外国人に対して行うのは政府の温情措置だといえる。実際、厚労省の通達レベルが根拠となっている。つまり、政府の判断でやめられるものだ。だから外国人には生活保護は不要だという議論も多い。

それに対する筆者の答えは、相互主義だ。つまり、外国において日本人も相互主義の対象で生活保護を受けられるならば、日本でも同じようにその国の人を生活保護対象としてもいい。

今、日本で生活保護対象の外国人のうち過半は韓国人であるが、韓国において日本人は生活保護対象ではない。であれば、韓国人の生活保護は韓国で責任を持って行うという結論になる。もちろん、いろいろな経緯があり現在に至っているわけだが、考えるべき原理は相互主義だ。

●外国人参政権も「相互主義」で

２０２１年12月、東京都武蔵野市の「外国人も参加できる住民投票条例案」が話題となった。東京都武蔵野市議会（26人）の本会議で12月21日に住民投票条例案の採決があり、賛成11、反対14の反対多数で否決された。

本件には、いろいろな意見がある。初めに問題提起したのは産経新聞。その後、さまざまな議論が行われたが、興味深いのは、産経新聞（12月6日）、読売新聞（12月2日）と朝日新聞（12月18日）のそれぞれの社説だ。

いずれも過去の最高裁判例（1995年など）を引用しながら、住民投票条例案について産経・読売は反対、朝日は賛成の意見を展開している。自らの主張の都合にあわせて最高裁判例の一部を引用すれば、賛成・反対のどちらの主張も可能なのだ。

海外の事例を見てもいろいろだ。主権は国家主権というくらいだから、国については外国人の参政権はまず認められていない。しかし地方については、形式的に言えば、国家主権に関わらないので、外国人の参政権は国・地方によってさまざまだ。

ここでも筆者がかねてより言っていたのが、判断の基礎となるべき実質的な相互主義だ。日本人が海外の地方において実際に参政権の恩恵をどの程度享受しているかで、外国人の日本の地方における参政権を認めるかどうかを議論したらいいという考え方だ。この「お互い様」というロジックは世界のどこでも通用しやすい。

筆者としては、まずこうした実質的相互主義をベースとして考え、その上で国の政策つまり主権に関わるかどうかで、地方の住民投票条例の是非を個別に判断するべきだと考える。その上で、行政が謙虚に耳を傾けて、外国人の意思をくみ取ればいい。相互主義に立てば、海外にいる日本人も同じなのだ。

中国人女性の無人島購入 有事の際の軍事転用リスクがある

中国人女性が沖縄県の離島を購入したとSNSで発信して話題となったが、これには安全保障上の懸念も指摘されている。

報道によれば、問題となっているのは、沖縄本島の名護市から50キロメートル程度北方にある沖縄県伊是名村《いぜなそん》の無人島、屋那覇島《やなは》だ。

2021年、東京に本社があり不動産投資やリゾート開発を行う中国系企業が島の半分ほどの土地を購入していた。この企業はホームページで「リゾート開発計画を進めている」としているが、これまで地元の村に説明はないという。

松野博一官房長官は2月13日の記者会見で屋那覇島について、「重要土地利用規制法」の対象ではないと説明しつつ、「政府としては関連動向について注視していく」と述べた。

TVやネットでは、中国人女性のSNS投稿がかなり話題になっている。屋那覇島の面積は74万平方メートル（東京ドーム16個分）で、沖縄県最大の無人島ともいわれている。

無人島を紹介した中国人女性のSNS投稿より

ここ20年間でも各種の開発計画があったがうまくいかず、結果として中国系企業が土地を購入したようだ。

安全保障上の問題としては、地上から各種電波の収集が定期的に行える。さらにリゾート開発という名目で恒久的な施設を建設し、有事の際に軍事転用される可能性もないわけではない。中国の「国防動員法」は、海外在住の中国人も動員の対象となると思われるので、こうした懸念がないとは断言できない。

筆者は、重要土地利用規制法に思い入れがある。かつて新型コロナウイルスの感染状況に関するＳＮＳでの「さざなみ」発言で、筆者を内閣委員会に招致するという話があったが、それは同法の成立を時間切れで阻止するためであったといわれている。

筆者は、同法の成立は一歩前進であったが、世界と比べて日本は安全保障の観点がかなり緩いと思っている。同法ですら、国内に反対する勢力がいるのは驚いたが、まずやるべきは同法の運用範囲をさらに拡大することだ。

さらには、前述のように、筆者はこの種の外交上の対応策として、「相互主義」を長年主張してきた。

わが国には、戦前の相互主義に基づく外国人土地法があり、今でも有効だ。外国人土地法（大正14年4月1日法律第42号）で、「日本人・日本法人による土地の権利の享有を制限している国に属する外国人・外国法人に対しては、日本における土地の権利の享有について、その外国人・外国法人が属する国が制限している内容と同様の制限を政令によってかけることができる」と定めている。一部の保守系国会議員らにより、現在でもこの法的効果の有効性は確認されている。しかし、現在、政令は未制定の状態であり、事実上有名無実というのが民主党政権時の見解であり、法務省はWTO協定により外国人を理由とする政令策定に消極的だ。

法務省は、外国人等による土地の取得及び利用を制限する権利を留保せずに「サービスの貿易に関する一般協定（GATS）」に加盟しており、内外差別的な立法を行うことが原則認められていないという。国際条約が上位になるからだ。

もしそうであるなら、外国人等に対する土地の取得及び利用を制限する権利を留保すればいい。実際に留保している国もある。留保しても、外交原則の相互主義によれば、日本人は中国の土地を買えないのだから中国人が日本の土地を買えなくても問題ないだろう。

なお、中国が土地所有を禁ずるのは、共産主義なので、生産手段（土地、企業）は国有という原則があるからだ。

非公式警察署と反スパイ法
中国の恣意的な法律運用は日本企業にも大きなリスク

中国が各国に「非公式警察署（秘密警察）」を設置していると指摘されている問題では、２０２３年４月17日、米司法当局が２人を逮捕するなど摘発に動いた。

一方、３月30日には50代の日本人ビジネスマンが反スパイ法の容疑で北京で拘束されたり、日本留学中に「香港独立」に関する書き込みをした香港の女子大学生が、香港に一時戻った際に香港国家安全維持法違反の疑いで逮捕された事件もあった。中国では反スパイ法の改正を審議しているというが、恣意的にみえる法律運用のリスクをどう考えるか。

中国の問題点は「中華思想」だ。これが明確に表れているのが香港国家安全維持法の「域外適用」だ。

法律の適用問題は、どこの国でも同じであるが、国家主権なので「属地主義」といい、一国の国内でしか有効でないというのが国際常識だ。しかし、香港国家安全維持法では**「香港特別行政区の永住権を有しない者が、香港特別行政区の外で香港特別行政区が実施する本法に規定する罪を犯した場合、本法が適用される」**（第38条）と「域外適用」が規定されている。

「属地主義」だと、香港において外国人が罪を犯しても捕まってしまうのは理解できる。しかし、「域外適用」であれば、外国人でも中国と犯罪人引き渡し条約を結んでいる国で「香港独立」と言ったら捕まってしまい、同条約で中国に連れて行かれてしまう。民主主義先進国として、フランス、スペイン、イタリア、韓国が中国と同条約を結んでいるので、どうなるだろうか。一部の国では条約の停止も検討されているようだ。

要するに、中国の中華思想、域外適用は相手国の主権を無視するのだ。そのため、中国にとっては、各国に非公式警察署を設置するのも当然ということになる。

主権を無視するから、日本の尖閣諸島周辺などでの領海侵犯もなんてことないというわけだ。

最近、尖閣のみならず沖縄についても、中国は日本に対し、公式の外交舞台で主権侵害の停止を要求している。要するに、尖閣、沖縄は中国の主権が及ぶという暴論を平気で言っている。こうした暴論がさらにまかり通ると、日本国内での拉致という主権侵害も論理上はありえることになる。

まして中国国内なら、法規制は国際社会を意識することもなく自由自在だ。それが反スパイ法だ。中国は「法に基づき執行」と言うが、法律自体が恣意的な運用を可能にしているので、民主主義国での「法治主義」とはいえない。そもそも、共産主義の中国は、憲法さえも共産党の指導に従うので、一般法が共産党によって恣意的に運用されていても仕方ないのだ。

これは大きな「中国リスク」だ。これまで、ビジネスになるので中国に進出した日本企業は多く、現地に日本人社員もいる。**そうした日本人を中国の恣意的な法運用に委ねるのは大きなリスクであることを日本企業は認識しなければいけない。**

何も身に覚えのない日本人を反スパイ法で拘束することは、ある意味で拉致である。これは看過できない。

（習政権下の２０１４年に反スパイ法が施行され、その後、15年以降に少なくとも日本人計17人が拘束され、今も5人が服役や逮捕など中国当局の拘束下にあるとされる。）

台湾総統選で「天下分け目の戦い」
親中派政権の樹立狙う中国

台湾の蔡英文総統が4月に訪米すると発表された。蔡総統はこれまで6回訪米しており、いずれも中南米諸国などへの外遊の経由地という名目だ。

今回も、中米のグアテマラとベリーズを訪問するが、その経由地として、往路の3月30日、復路の4月5日に米国を訪れた。その日にはシンクタンクなどでの講演のほか、大統領権限継承順位が副大統領（上院議長を兼務）に次ぐ第2位であるケビン・マッカーシー下院議長と会談した。

来年5月に退任する蔡氏の目的は、政権の外交成果の集大成のアピールだ。２０２２年8月には民主党のナンシー・ペロシ前下院議長の訪台を受けており、後任の共和党のマッカーシー氏とも会談することで米国とより緊密な関係を誇示できる。

２０２４年１月には台湾総統選がある。ただし、蔡氏は出馬せず、与党・民主進歩党（民進党）の後継候補への後押しとしたいようだ。

中国としては、民進党が勢いづくのは困る。しかも、１９７９年、米国は中国との国交を回復し、それに伴い台湾と断交しているので、今回の蔡氏の訪米に反発している。中国外務省の汪文斌副報道局長は３月21日の記者会見で「断固反対する」と述べた。

一方、米国家安全保障会議のカービー戦略広報調整官は同日、「当たり前のことで以前にもあったし、またあるかもしれない。個人的かつ非公式なものだ」とし、「中国が過剰に反対する理由はない」と述べた。

中国の習近平国家主席は３期目に入り、台湾統一の意思を明確にしている。来年の台湾総統選において、親中政権が誕生し、今のまま中国に併合されるのが最良であると考えているだろう。そのために、親中派の最大野党、国民党に接近している。

蔡氏の訪米時期に合わせて、３月27日に馬英九・国民党前総統が中国を訪問した（４月７日まで12日間）。総統経験者の訪中は１９４９年の中台分断後で初めてで、中国側の招待によるものだという。

来年１月の台湾総統選は、「非中」と「親中」の天下分け目の戦いになるだろう。中国はあらゆる手段を使ってでも、親中派の政権樹立を企ててくると思われる。

台湾の国内には、政治的な立場では中国と距離を置きたいが、それでは食っていけないという、日本の岸田派の「政経分離」のような人も少なくない。台湾経済はかなり中国に浸かっており、中国依存を脱するのは容易ではない。しかも世界的に優位な立場にある半導体でも、その技術の優位性はそう長く持たないという見方もある。

そうした人たちを西側民主主義体制に取り込むには、台湾のＴＰＰ（環太平洋戦略的経済連携協定）入りを加速させるのがいい。ＴＰＰはその性質上、中国の加盟は困難で、中国包囲網の性格がある。そのためにも、3月31日に合意した英国のＴＰＰ加盟に続き、台湾も加盟させ、ＴＰＰを民主主義の経済圏として早く確立するのが日本の責務である。

北朝鮮のミサイルと日本の防衛 トマホーク配備で「二倍、三倍返し」は可能か

4月13日午前7時26分、北朝鮮から弾道ミサイルの可能性のあるものが発射されたとの発表があった。さらに、午前7時55分、「先ほど発射されたミサイルが午前8時ごろ、北

海道周辺に落下するものとみられます。北海道においては直ちに建物の中や地下に避難してください」と伝えられた。

これがテレビ画面に突然流れたので、筆者を含めてビックリした人も多かっただろう。午前8時16分になって「落下の可能性がなくなった」となったが、朝だったので混乱も小さくなかった。

これに対し、一部の人から「Jアラート（全国瞬時警報システム）は意味のない緊急警報で、オオカミ少年になっている」という声もあった。

しかし、岸田文雄首相は、「国民の安全を最優先する観点から発出し、その後、ミサイルがわが国領域に落下する可能性がなくなったことが確認されたので、改めて情報提供を行った。Jアラートの役割を考えれば、今回の判断は適切だったと考えている」と述べた。

防衛省幹部は、ミサイル発射を探知した後にレーダーから消失したと明かし、その理由について高い高度で飛翔したことが原因だったとの見方を示した。

政府がJアラートで情報を発信したのは今回で7回目だが、日本の領土や領海への落下予測が発信されたのは今回が初めてだ。

北朝鮮のミサイルは発射後の一定時間までは北海道に着弾する弾道にあった。ただし、ミサイルの弾道を正確に予測できなかったのは、発射探知後にレーダーで追えなかったためだ。この結果、発射後1～2時間でミサイルの高度、飛距離、落下地点を公表しているが、今回は午後1時の段階でもできなかった。

これは、北朝鮮のミサイルが進化していることを意味しているともいえる。特に、発射直後のみ加速するのであれば、弾道計算で落下地点は予測できるが、発射後に多段階でさらに加速すると落下地点の予測は困難になる。その意味で、Ｊアラートがオオカミ少年だなんて批判している場合ではない。米国向けの大陸間弾道ミサイル（ＩＣＢＭ）であるとしても日本も標的になり得るので、北からのミサイルをレーダーで追跡できないという深刻な事態である。

もはや専守防衛で、飛来したミサイルを打ち落とすことができなくなっている。ミサイルの弾道を正確に予測できなければ迎撃も警報の発令も難しい。

北朝鮮にミサイル攻撃を思いとどまらせるようにするためには、「二倍、三倍返し」があることを示すしかない。長射程のミサイルで反撃する能力が必要だが、反撃手段となるトマホークの配備にはあと3年を要する。

北朝鮮は核ミサイルで、第一撃で同時に多数を撃ち込む飽和攻撃をしてくると見るのが軍事常識だ。はたしてトマホークで相手を抑止できる二倍、三倍返しができるのか。核シェアリング（核共有）を検討せざるを得ない段階だろう。

ミサイル発射直後に病院を受診 岸田首相の危機感は大丈夫か

●米中トップ外交会談を前にＩＣＢＭ発射

Ｊアラート発信の２カ月前、北朝鮮はＩＣＢＭ（大陸間弾道ミサイル）級の発射訓練を行ったと発表した。これは火星15号と呼ばれる北朝鮮のミサイル。北朝鮮の国営テレビの発表によると、キム・ジョンウン総書記が、事前に計画を伝えずに２月18日午前８時に命令を下し、10時間後に発射されたという。ミサイルは日本のＥＥＺ（排他的経済水域）内に落下した。

浜田靖一防衛大臣は防衛省で記者団に対し、このミサイルについて「弾頭の重量などによっては、１万４０００キロを超える射程となりうるとみられ、その場合、アメリカ全土が射程に含まれる」と述べた。

朝に不意打ちで命令し、その10時間後に発射されたことから、北朝鮮がミサイルを実戦配備している可能性は高い。なぜ、このタイミングだったかと言えば、米中での気球問題での対立も関係していると筆者は見ている。

実は、アントニー・ブリンケン米国務長官が2月18日、ドイツのミュンヘンで中国共産党の王毅政治局員と会談した。2月4日に撃墜した気球問題によりブリンケン氏が中国への訪問を延期して以降、両国高官が対面で話をしたのは初めてのことだった。

北朝鮮が、18日の米中外交トップ会談を事前に知っていたかどうかはわからないが、あまりに絶妙なタイミングだ。もちろんこれは、アメリカに対して「相手は中国だけではなく、北朝鮮もいる」とのアピールだろう。これまでも北朝鮮は核とミサイルを開発することで、アメリカを交渉のテーブルに引きずり出そうとしてきた。

●中国の偵察気球に米国は安全保障上の脅威を感じた

米中の気球問題とは、バイデン米大統領が2月4日に明らかにした、米軍の戦闘機が南部サウスカロライナ州の沖合で中国の偵察気球を撃墜した事件だ。中国外務省は5日、気球は民間のものであり、米国に入ったのは不可抗力だとして、強い不満と抗議の意を表明した。もっとも、中国共産党軍も過去に上空侵入の外国の気球を撃墜している。

不可抗力だったという中国の言い分を信じる人はまずいない。今の気球はハイテクなので移動のコントロールも可能で、日本など世界各地でも同型とおぼしき気球が観測されているからだ。地上20キロ以上の高高度であるが、人工衛星より速度が遅く高度が低いので軍事秘密の微弱電波を収集できる。

第二次世界大戦中、日本陸軍は米国に「風船爆弾」を飛ばした。和紙とこんにゃくで作った直径10メートルの巨大な風船に水素を入れ、爆弾や焼夷弾をつけたものだったという。この「風船爆弾」を実際に9300発飛ばして、1割ほどが米国に到達したといわれている。中国や日本のあたりから東へ吹く偏西風に乗り、数日で到達したようだ。

風船爆弾では米国側に5人の死者も出たし、山火事と細菌攻撃を恐れさせた兵器史上初の大陸間横断飛行爆弾だった。

筆者は以前の米ソ対立も思い出した。1960年5月、ソ連を偵察飛行していた米偵察機U-2がソ連に撃墜された。その後、62年10月、ソ連がキューバに核ミサイル基地を建設し、米国がカリブ海でキューバの海上封鎖を実施した。米ソ間の緊張が高まり、核戦争寸前まで達した。

今回、米国が中国の気球を撃墜した。米国は、九州、沖縄、台湾、フィリピン、ボルネオ島に至る「第1列島線」に中距離ミサイルを配備する計画だ。

米国は1988年に発効した米ロ間の中距離核戦力（INF）全廃条約（2019年失効）により、射程500～5500キロメートルの地上発射型ミサイルの保有を禁止されたため、現在、保有していない。だが中国は、日本列島も射程に入る中距離弾道ミサイルを約1900発保有しており、米中間で大きなミサイル・ギャップがある。このように中距離ミサイルでは中国は圧倒的であり、アンバランスの是正が必要だ。

日本が「反撃能力」の導入で長射程のミサイルを保有することから、日本への中距離ミサイル配備を見送るとの報道もあったが、「反撃能力」とあわせて日米で中国の中距離ミサイルに対抗すべく、日本への配備も行う予定との報道もある。日本以外の台湾などでも配備されるだろう。

となると、この中距離ミサイル配備に対し、中国は台湾の海上封鎖で対抗するのではないか。それはまさに台湾有事だ。と同時に、日本有事になる。それは、2027年までに起こりうると、多くの米専門家が指摘している。

米国は、今回の領空侵犯以降、気球撃墜のタイミングをうかがって、米中外相会談もキャンセルした。それほど安全保障上の脅威とみていたわけだ。

また、米国が中距離ミサイルを第一列島線に配備すると、北朝鮮も射程に入ってくる。これは今回の北朝鮮のミサイル実験への対抗という意味合いもある。

「ヒゲの隊長」こと佐藤正久参院議員は、「火星17」型の移動式発射台11基が確認されているとして、「火星15」型については「発射台の車両は、もっと数がある。アメリカが一撃ですべての車両をたたくことは難しい」と指摘し、「アメリカにとっては脅威の段階が格段に上がると思う」との見方を示した。

となると、北朝鮮とアメリカは交渉をしないではいられなくなるだろう。ここが、今回の北朝鮮の狙いだ。

●日本の危機管理は不十分

一方、日本の対応はどうか。岸田総理大臣は「国際社会全体に対する挑発をエスカレートさせる暴挙だ」と非難。また18日の19時すぎからNSC（国家安全保障会議）を開催した。

ただし、発射直後の岸田首相の行動は解せない。防衛省によると、18日午後5時21分ごろミサイル発射があり、午後6時27分ごろ北海道渡島大島の西方およそ200キロの日本のEEZ（排他的経済水域）内の日本海に落下したと推定されている。

岸田首相が、最初にミサイル発射の報告を受けたのは、東京・品川区の診療所に入る直前だった。そして発射の20分後に診療所に入ったという。治療中も逐次報告を受け続け指示を行う態勢も整えていたというが、報告は治療に当たっていた関係者も聞いていたというのだろうか。治療後に官邸に戻り、NSCを開催した。

このミサイルについては破壊命令を下す可能性もあったわけで、これでは危機管理が不十分と言われても仕方ないだろう。診療所に入らずに官邸に戻り、NSCを開催後に、一段落してから治療すべきだったのではないか。なんとも悪いタイミングだった。

日韓首脳会談、岸田首相の姿勢が「おわび」と受け取られるのではないか

韓国の尹錫悦《ユン・ソンニョル》大統領が３月16日に来日し、岸田文雄首相と首脳会談を行った。

事前情報では、岸田首相は、新たな〝おわび〟を避け、歴史認識を継承することを表明するという。具体的には、１９９８年の日韓共同宣言など歴代内閣が示した立場の継承を表明するにとどめる意向と報じられている。この宣言には、植民地支配に対するおわびとともに「未来志向」を明記しており、日韓関係の基盤として適切だと判断したようだ。

98年宣言は当時の小渕恵三首相と金大中《キム・デジュン》大統領が署名した。植民地支配について、小渕氏が「痛切な反省と心からのおわび」を表明するとともに、金氏は「不幸な歴史を乗り越えて未来志向的な関係を発展させるため、互いに努力することが時代の要請だ」と応じた。歴史問題に終止符を打つのが狙いだった。

日韓両国は65年の国交正常化時に締結した日韓請求権協定で、請求権問題の「完全かつ最終的な解決」を宣言した。それで、両国間の財産および請求権の問題は完全かつ最終的

に解決済みである。

しかし、韓国側が歴史問題を蒸し返し、日本政府が応じてしまったのが間違いだ。元慰安婦の方々の現実的な救済を図るために、95年に「アジア女性基金」を設立した。その後も、歴史問題はくすぶり続け、2015年に慰安婦問題の「最終的かつ不可逆的な解決」を確認した政府間合意に至った。しかし、文在寅《ムン・ジェイン》前政権下で事実上白紙化された。解決済み問題を何度も問題とし「解決」してきたのに、再び問題化しているのだ。岸田首相は15年合意には外相として関わった。

いわゆる元徴用工問題も同じだ。日本企業に賠償を命じる韓国最高裁判決が18年に確定したが、日韓請求権協定からみれば、そうした判決が出るのがおかしい。

百歩譲っても、あくまで韓国の国内問題であり、日本との懸案とするほうがおかしい。安倍晋三・菅義偉政権では何も対応しなかったので、韓国の尹政権自らが解決せざるをえなくなった。これも国内問題なので、日本に迷惑をかけずに解決すべきものだ。

本来なら日本は何も言わずに、韓国の解決策の報告を受けるだけでいい。報告を受けるだけから、何を加えるか。岸田政権では98年宣言を持ち出すが、これが韓国側から見れば、また日本が謝罪したといわれかねない。過去、解決済みを何度も蒸し返したので、98年宣言とはいえ、その轍を踏むことになりかねない。まして、輸出管理の「ホワイト国（グループA）」復帰や、日韓通貨スワップまで復活となるのは論外だ（4月24日、韓国は日本をホワイト国に復帰させたが、25日、日本は韓国のホワイト国復帰を見送った）。

徴用工問題で日本は原則守れ 対韓輸出管理の厳格化とは無関係

いわゆる「元徴用工」訴訟問題をめぐり、日韓両政府は首脳会談前の1月30日、ソウルで外務省局長協議を行った。韓国政府は、日本企業の「賠償」支払いを、韓国の財団に肩代わりさせる案を軸に検討し、2月中の解決案公表を視野に最終調整を進めている。日本政府は韓国を輸出管理で優遇する対象国に再指定し、対韓輸出管理を緩和する方向で検討しているとも報じられている。

元徴用工というが、今回の原告4人はいずれも「募集」に応じた人なので、「応募工」が正確だろう。いずれにしても、その人たちへの補償について、韓国政府も1965年の日韓請求権協定で「解決済み」としてきた。しかし、韓国大法院（最高裁）は個人の請求権は消滅していないとし、日本企業に賠償を命じた。

これに対し、日本政府は、本件について65年の日韓請求権協定で完全かつ最終的に解決しているとした。今般の判決は国際法に照らしてあり得ない判断なので、日本政府としては毅然と対応するとした。

つまり、韓国大法院の判決は純粋に韓国の国内問題であり、その解決は韓国政府が行うべきものだ。これが「解決済み」という意味だ。

安倍晋三・菅義偉政権では、そうした毅然とした対応がなされていたが、今回、岸田文雄政権でその大方針が揺らいでいる。これは日韓関係にとって長い目で見てよくない。

韓国政府は、国内問題なのに勝手に騒いで、それを解決したと言って日本に謝罪を求めるのは筋違いだ。

日本政府としても、内政不干渉の原則からいっても、韓国政府からの解決の連絡を受けるだけで、何ら対応する必要はない。まして、日本の輸出管理の見直しはまったく関係がない。

そもそも安倍政権は2019年7、8月に韓国向け半導体素材3品目の輸出管理厳格化を発動し、貿易上の優遇措置を適用する「グループA（ホワイト国から改称）」から韓国を除外したが、これは、大量破壊兵器に転用可能な戦略物資について、韓国側の輸出管理に疑わしい事案が続出したためだ。

つまり安全保障上の運用見直しで行ったのであって、いわゆる元徴用工問題の解決とはまったく関係ない。グループAへの再指定は、韓国が輸出管理を見直した結果だというなら、これまで輸出管理の見直しを怠っていたことこそ由々しきことだ。

北朝鮮の核実験は2017年9月以降は行われていない。米国のトランプ前大統領と金正恩氏の会談が18年6月と19年6月に行われた後、日本の輸出管理が強化されたのも無関係とはいえないだろう。

半導体関連素材3品目について、韓国から北朝鮮に何らかの形で渡った懸念が払拭できないのであれば、グループAへの再指定は行えない。特に前述のように、北朝鮮は大陸間弾道ミサイル（ICBM）開発がほぼ最終形まできたので、残る核実験につながる芽を摘んでおくことが必要だ。

安倍・菅政権での毅然とした対応を岸田政権が無にしてはならない。

ただし、日本側の一部の人は、今の保守系の尹錫悦政権のうちに関係改善しておきたいという。特に外務省にはその傾向がある。

『安倍晋三回顧録』（前出）には、「外務省が戦ってこなかったのは事実です。歴史問題は、時が経てば風化していくからやり過ごそう、という姿勢だったのですね。でも、それでは既成事実化してしまいます。だから安倍政権になって相当変えました。劣勢をはね返そうとしたのです。国境や領土は断固として守る、中韓は国際法を遵守せよ、という主張を強めたのです」とある。

歴史問題で中国とともに、韓国にもはっきりものを言う必要がある。と同時に、日米韓で、北朝鮮の脅威に対抗していくというスタンスだ。

（5月12日、岸田首相が就任後初めて韓国を訪問した。韓国は隣国であり、日本を取り巻く安全保障環境が激変しているタイミングで、今回の日韓首脳会議が行われたことに一定の意義がある。）

中国との「二股外交」の韓国は経済厳しく、いずれ日米依存に傾く

日本、米国とオランダが、半導体製造装置の中国への輸出について制限をかけることで合意したと報じられた。そこで韓国はどのような立場となるのか。

日米とオランダの３カ国が協調すれば、先端半導体製造装置を中国が入手することはほぼ完全にできなくなる。先端半導体製造装置では、米系のアプライド・マテリアルズ（２０２１年の世界シェア22・５％）、ラムリサーチ（同14・２％）とＫＬＡ（同６・７％）、日本の東京エレクトロン（同17・０％）とオランダ系のＡＳＭＬホールディング（同20・５％）の５社が、それぞれ持ち味は異なるものの、事実上ビッグ５で世界シェア80％を超える寡占業者だ。

かつて、アプライド・マテリアルズと東京エレクトロンは持ち株会社をオランダに設立して経営統合する話もあったが、あまりに強大になりすぎることを米司法省が嫌ったために、ご破算になったこともあった。それなのに、今や対中国のために、米政府が音頭を取

って日本、オランダとの協調体制ができている。

いずれにしても、日米とオランダの3カ国が協調すれば、中国が先端産業を独自に構築できる方法はほとんど見込めなくなる。そうなると中国は先端技術を輸入によって得られなくなるので、独自に中国で国内開発してくるだろう。


韓国の取る道は事実上、2つしかない。中国に従って中国と同じ立ち位置に立つのか、日米とオランダに従って先端半導体製造装置を輸入するかのいずれかだ。

ここに韓国の弱みがある。半島国家の宿命なのだろうが、大陸の中国に気兼ねしながら、海洋国家の日米にも配慮しなければいけない。いわば二股である。

そうした状況に加えて、目先の韓国経済は調子が悪い。2022年12月、韓国がまとめた「2023年経済政策方向」では、23年の経済成長率予測を1・6%と、22年の2・5%(実績見通し)から鈍化するとした。

経済協力開発機構(OECD)は1・8%、韓国開発研究院(KDI)は1・8%、産業研究院が1・9%、格付け会社のフィッチが1・9%、アジア開発銀行(ADB)が1・5%、ASEAN+3マクロ経済調査事務局(AMRO)が1・9%と、いずれも1

%台の低成長の予測だ。

韓国経済は海外依存度が高いため、海外経済のコストアップを受けてインフレの傾向だ。また、韓国は経済が悪化すると資金流出に直面する。それを防ぐために利上げが必要となり、それがさらに経済を悪化させていくという悪循環だ。

こうなってくると、韓国経済の頼みの綱は中国になる。しかし、その中国もかなり危うい。となると、次の頼りは日米だ。尹錫悦政権が一応、保守政権であることとも関連し、「二股外交」は結果として日米依存に傾くだろう。

ただ、北朝鮮を巡る地政学リスクも抱えるので、韓国は当面かなり苦しいだろう。

第6章

思いつきの「少子化対策」、欺瞞だらけのエネルギー政策

思いつきの「少子化対策」議論に財務省がほくそ笑む

●人口減少しても1人当たりGDPは低下しない？

岸田首相が2023年年頭の記者会見で「異次元の少子化対策に挑戦する」と述べた。その後、これを受けて自民党の甘利明前幹事長が、財源として消費税の増税に言及したが、児童手当の所得制限について話題になっている。

まず、天の邪鬼な筆者にとって、少子化対策はその必要性が胸にストンと落ちない。人口減少しても、1人当たりGDPが必ずしも低下するとは言いがたいからだ。

世界で人口減少している国は30カ国程度あるが、1人当たりGDPが成長している国は少なくない。最近の世界各国の人口成長率と1人当たりGDPの伸び率の関係を示した図を参照してほしい。端的にいえば、人口減少しても経済成長しないとはいいがたく、今後はなおさらロボットでかなりの程度補えるだろう。

《人口成長率と1人当たりGDP伸び率（2012〜2021年）》

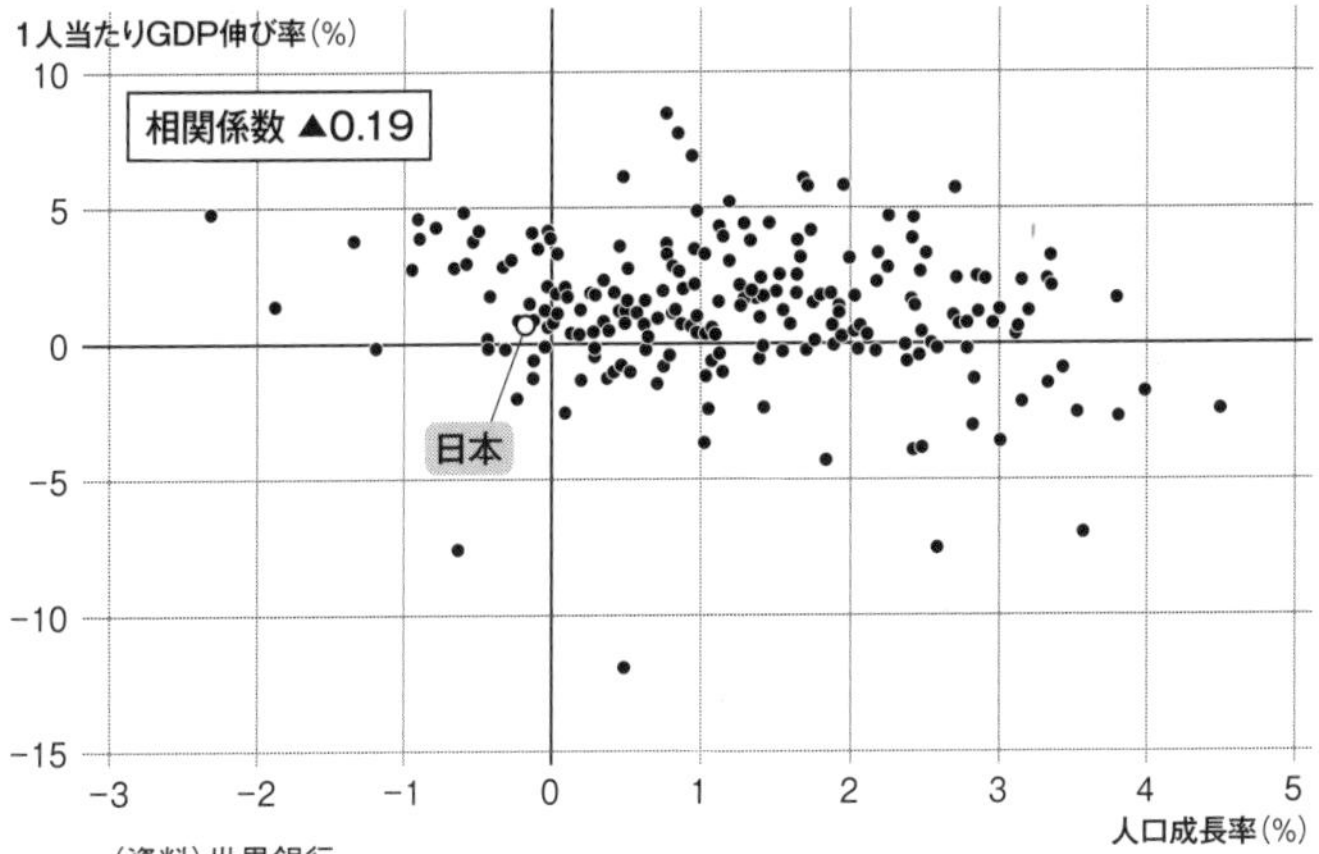

（資料）世界銀行

そもそも、人口動向の根本要因がわからないにもかかわらず、「少子化が進むのは経済的理由であるという仮説」から、政治家のみならず在野からも、金銭要因による人口増を誘導する政策提言がおびただしく持ち上がっている。

少子化対策ほど、客観的なエビデンス・ベースト・ポリシー（エビデンスに基づく政策）からほど遠い分野もなく、なんでもありの世界だ。

●最後には少子化増税にもっていく？

人口動向は人の生物としての本能的な営みが大きく関係するのは自明だが、それを金銭要因でどこまで誘導できるかについて、実証分析もないのに、こうした提言がなされる。逆にいえば、基本的なメカニズムがわからないので、人口問題は政治課題となるのだろう。人口問題は国民に人気があることから、政治家には人口問題に関心を持つ人が多い。

もっとも、少子化対策は誰でも思いつきを言えるものの、そのほとんどは、第一子にいくら手当を出し、第二子にいくら手当を出すといった、後述する児童手当の派生形である。財務省から見れば、政治課題なので無視することはできない。しかし、どうせ政治要求が来るのであれば、それを逆手にとることを考えているはずだ。

そこで、財務省が考えるのが「少子化増税」である。

人口を増やすために増税とはちょっと意表をついているが、「少子化対策には安定財源を」という例のフレーズだ。その財務省の思惑をつい口にしたのが、甘利前幹事長だった。本人は、趣旨は違うのに一部を切り取られたと弁明しているが、いかにも脇が甘かった。財務省にとっても、本音が漏れたので焦ったことだろう。

財務省の戦略は、少子化対策について多くの政治家から語ってもらう、ただし財源論抜きでは語らせないというものだ。そして、最終的な取りまとめ段階になったら、政治家の少子化対策にはエビデンスがないと主張し、大幅に換骨奪胎するものの、安定財源論だけはしっかり残し、少子化増税に持っていくのだろう。少子化対策は広い意味での社会保障になるので、社会保障財源である消費税増税にもっていくのが目に浮かぶ。

少子化対策担当大臣は内閣府特命担当大臣である小倉將信氏、41歳当選４回の新進気鋭だ。まさに百家争鳴の少子化対策の取りまとめにはうってつけである。少子化対策はすぐに答えを出す必要はなく、議論検討していればいい。そのための会議を官邸に作ると首相出席が必須となり煩わしいので、内閣府特命担当大臣は適任なのだ。

そのほうが財務省にとっても好都合だ。議論が拡散気味でも時間がかかってもよく、最後の刈り取りの時、政策には効果で難点をつけながら安定財源で増税を盛り込めばいい。これは異次元の増税だろう。

もっとも、自民党内では、面白い議論がなされている。児童手当の所得制限撤廃論については自民党内で茂木敏充幹事長が前向きな発言をした一方、西村康稔経産相は否定的な見解を示している。

所得制限撤廃の是非や児童手当が少子化対策に資するのか、財源問題が出てくるのか。

どのような制度が望ましいのか。

●先進主要国では、児童手当は児童税額控除と一体運営

この問題を考える前に、先進主要国の児童手当や税制支援をみておこう。

児童手当について、イギリス、フランス、ドイツ、スウェーデンは第一子月額2万円程度の制度がある。所得制限はいずれの国でもない。アメリカには手当がない。

税制支援については、イギリスは児童税額控除、フランスはN分N乗方式、ドイツは児童扶養控除（児童手当との選択制）、アメリカは児童税額控除がある。スウェーデンは税制支援はない。

総じてみると、先進主要国では、児童手当は児童税額控除と一体運営になっており、児童手当の所得制限にそれほど意味はない。

日本では、児童手当は第一子原則1万円で所得制限があり、税制支援は扶養控除。両者は併存しており、一元化されていない。

欧米で児童手当と税制支援が一体となっているのは、税と社会保障が一体運営となっていて、例えば税と社会保険料が一体として歳入庁で運営されているからだと筆者は思って

いる。児童手当も広い意味で社会保障関連支出なので、税と一体的に運用されるのが合理的だからだ。

しかし日本では、税と社会保障はまったく別物で、財務省と厚労省がそれぞれ縦割りで運営している。かろうじて両者の接点を探せば、消費税を社会目的税とすることだ。

この観点から言えば、児童手当で所得制限か否かが問題になったとしても、税制支援の議論が出てこなければ、財務省としても悪い話ではない。しかも、児童手当に焦点が集まれば、各方面からでてくる少子化対策も一緒にさばけるので、財務省の想定内の展開だろう。

これまで再三指摘してきたが、**消費税を社会保障目的税とする先進国は日本以外にない。**そして、消費増税のためだけにこの接点があり、財務省は社会保障を人質に消費増税を企む。

今回も自民党の甘利氏が思わず漏らしたが、異次元の少子化対策は異次元の消費増税につながる可能性がある。その一方、**税と社会保障を一体とする歳入庁がないのは先進国では日本だけだ。**

児童手当だけ見ると所得制限は正当化できそうにも見えるが、税と社会保障の一体を前提として児童税額控除など税制支援があれば、児童手当で所得制限なしのほうが簡明な仕組みだ。

日本で児童手当の所得制限があるのは、財源問題とともに税額控除などの税制支援を拒んできた財務省の存在も無視できない。これまで自民党が所得制限なしに反対してきたのも、裏には財務省がいたからだ。

日本の児童手当での所得制限は、歳出を少なくするとともに、歳入庁を忌避し税と社会保障の一体運用をしたくない縦割り志向の財務省が政治家に振り付けた結果ともいえる。

国際比較からみた児童手当の正解は、「所得制限なしと児童税額控除（N分N乗方式など他の税制支援でもいい）の組み合わせ」で、それらの一元化である。この組み合わせであれば、少子化問題の切り札とはならなくても、子供を持つ世帯への支援としては国際標準なので悪くはない。

それには、今の財務省・国税庁と厚労省・年金機構の縦割りを統合し、歳入庁などの組織に一元化することも必要になるが、はたして岸田政権でできるだろうか。

少子化対策の財源で社会保険料上乗せ案その裏には、財界の反発狙いも

岸田文雄政権の少子化対策の財源として、社会保険料を上乗せする案も浮上している。この議論は、かつて自民党の若手から出た「こども保険」を想起させる。

まず「保険」の意味をはっきりさせよう。

保険とは、偶然に発生する事象（保険事故）に備えるために多数の者（保険契約者）が保険料を出し、事象が発生した者（被保険者）に保険金を給付するものだ。

少子化対策の場合は、子供の保育、教育なので、偶発事象（保険事故）は子供が生まれることになるだろう。保険契約者は公的年金の加入者、つまり20歳から60歳までの現役世代の人になり、被保険者は子育てする人となるだろう。

となると、矛盾が出てくる。子育ての終わった現役世代の人には、偶発事象がまず起こりえない。これらの人は「社会保険」に入るメリットはなく、保険料を取られるだけになってしまう。

となると、被保険者はこれから子育てをする若い人にならざるを得ない。しかし、それでは保険にならない。子育てをする若い人の多くが子供を持つからだ。仮に、そういう保険を作ると、子供のいない人に大きな保険料負担を強いることになってしまう。

ここまで来ると、子育て支援について税金を財源にしたいが、税金では世間の反発があるので、社会保険料に名前を変えて、国民から徴収しようという意図がバレバレになってしまう。

「保険」の名称にしたのは、日本人の保険好きを悪用したのだろう。保険好きはこれまでの保険会社の営業努力のたまものであるが、保険契約額対国民所得比をみると、日本は5倍程度であり、先進国の2倍程度と比べるとかなり大きく、保険好きの国民性であることがわかる。

もっとも、保険というものの、その中身を見ると怪しいものも日本では少なくない。それに政府も便乗するのはいただけない。

いずれにしても、保険とはいえないのに、保険と称して国民から徴収しようとする発想が情けない。それなら、堂々と増税を主張するなり、既存経費を削減すると言ったほうがいい。

筋をいえば、少子化対策は、未来への人的投資として考え、国債を財源とするのが最も適切であろう。この考え方については、教育国債ということで筆者も何度か紹介した。なお、投資なので効果が確実なものに絞るべきだ。

社会保険料引き上げ発言の裏には、これを言えば、財界は必ず反発するという見通しもあるはずだ。社会保険料は労使折半であるので、社会保険料引き上げ論に対して、財界は反発し、必ず「消費税増税」と言うのだ。これは半ば条件反射である。企業経営の発想からみると、有効な投資であれば借り入れで賄うはずであり、企業でいえば営業収入である税で賄うという発想は出てこないにもかかわらずだ。

社会保険料引き上げ発言は、こうした財界の反応を見込んだ上での財務省側からの観測気球だろう。

東京都の太陽光パネル条例「設置義務化」はミスリード 実際は「推奨」ではないのか

東京都で新築住宅への太陽光パネル設置を義務化する条例が成立したと報じられた。条例の実態はどういうものなのか。

筆者は2022年5月のコラムで、一戸建て住宅を含む新築建築物に太陽光発電のパネル設置を義務付ける条例改正案の制定に向け、東京都は、都民や事業者からパブリックコメントを始めたと書いた。条例は「都民の健康と安全を確保する環境に関する条例（環境確保条例）」の改正であり、意見公募は、75ページに及ぶ大部の「中間のまとめ」に対するもので、現段階では意見喚起だろうとも書いた。

昨年5月のパブリックコメント段階では条例案がなかったが、元役人の筆者としては、義務化をどのように条例に規定するかに興味があった。しかし、22年12月に成立した条例を読む限り、「義務化」というのはミスリーディングだ。

当初から、住宅建設を依頼する人ではなく、一定のハウスメーカーなど事業者に対する義務だというのはわかっていた。事業者の義務は、一定の方針を都知事に提出しなければならないというものだ。ただし、その中の太陽光パネルの設置目標は目安程度で、達成できなくても罰則はない。達成への取り組みが不十分だと判断された場合、都は助言や指導を行ったうえで、事業者名の公表を検討するとしている。

つまり設置義務化というより推奨というレベルだ。

事業者は、太陽光パネルの設置を顧客である依頼主に拒否されたら、依頼主に強制することはできない。方針を達成できなければ、最終的には事業者名が公表されるというが、コストアップを顧客に押し付けなかったわけで、ある意味で良心的な事業者ともいえる。

以上は、上田玲子都議との議論を踏まえ、条例を読んだ筆者の理解である。

なぜ、今の状況になったのか。

筆者の邪推は、(1)小池百合子都知事は実務を熟知せず条例案も十分読まず、(2)都官僚は義務ではなく推奨レベルという、いい意味での「骨抜き条例」を作り、(3)マスコミは知事の言う通りに「義務化」と報道した、というものだ。

報道では「太陽光パネル設置義務条例」というが、環境確保条例には文言上、太陽光パネル設置の「義務」なんて出てこない。

しかし、事業者が依頼主に「太陽光パネル設置義務」と言うと、住宅を建てようという依頼主はそれに従うかもしれない。よくわからないまま余分なコストアップを強いられる都民は気の毒だ。

こんな方法は良心的な環境派でも良しとしないだろう。それとも結果のためには手段を選ばずなのだろうか。

コロナ禍の際に、東京都は飲食チェーン「グローバルダイニング」に対し営業時間の短縮命令を出したが、東京地裁で営業の自由に反するとし違憲判決が出て、それが確定した。小池都政はどうもチグハグだ。

電気料金低下に貢献する原発、再稼働のメリットはデメリットを上回る

東京電力など電力大手5社は、4月からの電気料金を値上げすると発表した（6月以降

に先送りされた)。一方、原子力規制委員会は、原発の事実上の「60年超運転」容認に向けた原子炉等規制法の改正法案を了承した。

原発を稼働すべきかと環境・エネルギーの専門家に問うと、文系の専門家は「ひとたび事故が起これば取り返しがつかないので反対」、理系の専門家は「福島第一原発事故の教訓から安全対策がなされたので重大事故の起こる確率は低くなっているので賛成」、と答える傾向があるという。

筆者は、原発のデメリットについて、重大事故の場合に発生するコストに事故発生確率を乗じて考えている。文系専門家の言うように重大事故の場合に発生するコストが巨額でも、低い確率を乗じるので、原発デメリットはかなり小さくなっていると考えている。

他方、原発のメリットは、電力の安定供給とともに、現下のようなエネルギー価格上昇時に電力料金を低下させるというものがある。西日本では原発を稼働しているので、原発を稼働していない東日本より総じて電気料金が安い。料金体系が複雑なので単純比較は難しいが、ざっくりいって旧電力で一番高い北海道電力と低い北陸電力では3〜4割の価格差がある。

原発が脱炭素に貢献するグリーンなエネルギー源であることもメリットである。

原発のメリットとデメリットを比較考慮すると、再稼働によるメリットがデメリットを上回ると思う。

●運転期間は個別判断すべき、次世代炉でエネルギーの地産地消が可能に

それにしても、日本の原発の稼働率は低い。1990年代後半こそ、世界と同レベルの80%程度であったが、2000年代には60~70%と世界より低く、福島事故でほぼゼロとなり、世界で一番厳しい日本の安全基準の中、21年でようやく25%まで戻した。原発は、数少ない準国産エネルギーなので、再稼働し活用しない手はない。

原発の稼働の長期化について、米国では80年まで運転延長が認められたケースがある。経年劣化や金属の腐食、割れなどがないかを個別原発でみて、運転許可を20年ずつ更新するからだ。日本も一律的な規制ではなく、個別原発ごとにみる必要があるだろう。

既存原発の再稼働や稼働の長期化は、当面の策として電気料金の引き下げに貢献するだろう。というのは、償却がかなり済んだ資産を活用するからだ。

より長期的に電気料金を安定的に低位にするために、次世代原子炉の建設の検討も岸田文雄政権で踏み込んだ。筆者としては当然だと考える。

次世代原子炉のうち、小型モジュール炉は自然冷却が可能なので有望だ。今の原発の危険性は巨大な冷却システムを要することに由来する。そうしたシステムを要しないのであれば、危険確率はさらに低下する。小型モジュール炉で既存の巨大炉をリプレイスできれば、エネルギーの地産地消の安全な発電が可能になるだろう。

ドイツの脱原発政策の「欺瞞」日本は〝反面教師〟とすべきだ

ドイツのエネルギー政策はひどい。２０２１年12月23日の米紙ウォール・ストリート・ジャーナルの社説で「ドイツの自滅的なエネルギー敗戦」と酷評された。書かれていることは、10年前のエネルギー政策転換の時から言われていたことだ。

２０１１年の福島第一原発事故を受けて、アンゲラ・メルケル前首相は原発の段階的廃止を打ち出し、それが完遂された。その結果、太陽光・風力発電政策に翻弄される状態を自ら作り出した。しかも、自国では原発を廃止するが、隣国の原発大国・フランスから電力を輸入する欺瞞もある。さらに、電力供給維持のためロシア産天然ガスへの依存が、ウクライナ侵攻が起こって裏目に出た。

ドイツは、ここまで〝脱原発〟をしても〝脱炭素〟は進展していない。21年のエネルギー別発電割合をみると、石炭・褐炭が27・9％、再生可能エネルギーが40・9％、原子力が11・8％、天然ガスが15・3％などとなっている。

世界的な脱炭素の動き、さらにはロシアのウクライナ侵攻でロシア以外に天然ガスを求めざるを得ないこともあり、天然ガスやその他のエネルギー価格の上昇にもドイツはさらされているのが実情だ。

その結果、ドイツの電力料金は日本の2倍以上になっている。こうしたドイツにおけるエネルギー構成のゆがみや価格の高騰は、エネルギー問題ではあらゆる供給手段を用意しておくという「エネルギー安全保障」を完全に無視した結果だ。

せめて原発を廃止しなければ、今のエネルギー価格高騰の一部を抑えられただろう。さらに、天然ガスも段階的にゼロにするというのは、まともなエネルギー政策とはいえない。

脱炭素については、いろいろな議論があるものの、世界の流れであるのは誰も否定できない。その脱炭素の流れの中では、二酸化炭素（CO_2）を出さず、風力や太陽光と異なり天候にも左右されない原発は、もってこいの手段だ。

ドイツとは正反対であるが、フランスや英国が主導し、欧州で再び原発を活用する動きが活発になっている。脱炭素を進めるためには、原発は欠かせない要素だからだ。ちなみに、オランダやフィンランドでは原発新設などの動きもある。ドイツだけが欧州のなかでは異質の存在だ。

また、世界中で小型モジュール式原子炉は有望だ。そのシンプルな設計は安全性を高めるとともに、コスト削減や建設期間短縮になる。

日本国内では、ドイツを見習い脱原発を主張する向きもあるが、やめるべきだ。そもそも欧州連合（EU）は、石炭というエネルギー問題を多国間で解決するため1952年の欧州石炭鉄鋼共同体（石炭と鉄鋼の共同市場を創設）から発展してきた。

ドイツが変なエネルギー政策をとっても民主主義の陸続きの欧州他国からの助けもあるが、日本は周りを海で囲まれ、隣国は専制国家である。ドイツのようなことは期待できない。

むしろ、エネルギー政策においては、欧州の中で異質なドイツを反面教師としたほうがいい。

EU〝エンジン車容認〟で明らか 環境問題めぐる「ご都合主義」

欧州連合（EU）が、2035年にエンジン車の新車販売を禁止する方針を撤回した。EU欧州委員会は21年7月、エンジン車禁止の法案を提案し、EU欧州議会が今年2月に採択、各国の正式承認を経て法制化される予定だった。ところが、ドイツが反対し、イタリアやポーランド、ブルガリアも賛成しない意向を示し、承認条件がそろわなかった。

そこでEU欧州委員会とドイツが調整し、再生可能ネルギー由来の水素と、工場などで回収した二酸化炭素（CO_2）を原料にした合成燃料「e-fuel（イーフューエル）」を使うエンジン車の販売を例外として認めるとした。ただし、基本の電気自動車（EV）路線は維持し、バイオ燃料を使う車は35年以降の販売を認めない方針だという。

ドイツがエンジン車禁止法案の反対に回ったのは、フォルクスワーゲンなど自動車産業を抱えるドイツ政府が合成燃料の利用容認を求めたことにある。ドイツのポルシェやイタリアのフェラーリなどは、高級車で合成燃料を推進しようとしていた。もっとも、EU欧州委員会とドイツの調整の過程では、ボルボやフォードなどはエンジン車禁止を求めていた。**エンジン車禁止は環境問題のように見えるが、このように自動車メーカー間の覇権争いの側面も強い。**

かつて、ドイツは日本のハイブリッドに対抗して、ディーゼル車が環境にいいと主張したことがある。それが、EV化路線でエンジン車禁止路線になったと思ったら、今度は合成燃料のエンジン車を例外とするというご都合主義だ。

そもそもEV化が本当に環境にやさしいかどうかも定かでない。というのは、発電の4分の3は石炭、液化天然ガス（LNG）、原油などの化石燃料で行われているので、これが変わらなければ電気を作る過程でCO_2がかなり発生するのだ。CO_2を発生させる電気で走るEVと、CO_2ニュートラルの合成燃料を使うエンジン車では、社会全体としてどちらが環境にやさしいか、そう簡単に答えが出る話ではない。

ともあれ、環境にいろいろとかこつけて、自動車メーカーは世界覇権を争うわけで、それが欧米での自動車規制となるのが国際政治の真実だといえる。

ここまでいうと、そもそも「脱炭素化」という世界の流れが科学的に正しいのかという根本問題にもなる。国際政治としては、脱炭素化の否定までにはならないものの、日本は欧米からのいろいろな「くせ球」に対応する必要がある。ＥＶ一辺倒はあまりに危険な選択だ。

今回の合成燃料によるエンジン車の例外措置は日本にとって悪くない。ただし、世界でＥＶ化路線が揺るがない以上、基本となる電力をいかに安く生産できるかを考えないと、基盤となる国内需要が出てこない。

高すぎる電力料金は海外展開した企業の日本回帰や外資系ハイテク産業の日本誘致にも支障になる。その根本問題の解決が必要だ。

中国がレアアース磁石技術を「禁輸」か　ＥＶ見直しとＨＶ復権の好機に

中国政府が、ハイテク製品に使われる高性能レアアース（希土類）磁石の製造に関する技術の輸出禁止に向けて検討作業を進めていることが明らかになった。中国政府の輸出禁止・輸出制限技術リストで、レアアースの精錬や加工などの技術の輸出制限を盛り込む予定だ。

レアアースといえば思い出すのが、2010年に沖縄・尖閣諸島をめぐり日中が対立すると、中国側が対日輸出を一時停止したことだ。

政府と日本企業は、⑴中国以外での調達先確保、⑵国内での再利用推進、⑶省資源や代替原料の技術開発、などの対策を行った。その結果、中国からのレアアース輸入量は半減、輸入の中国依存度も8割から5割に低下した。レアアース価格は暴落し中国では生産停止に追い込まれる企業も出た。

日本はレアアースの原材料確保についてよく短期間で成果を出せた。さらに、安倍晋三・菅義偉政権の時、中国以外の海外で行っていた精錬加工を日本国内でできるような対策もしており、相当の準備もできている。

一方、米国は自国での鉱山開発によりレアアース生産に占める中国依存度は9割から7割まで下がった。しかし、自国で生産したレアアースの多くを中国に輸出して、現地で精錬してから輸入している。

日本はレアアースを使う高性能磁石の生産を得意としており、原材料のレアアースの確保は中国以外からの調達や再利用である程度のめどがたっている。米国は高性能磁石を搭載するハイテク製品が得意であるが、中国にレアアース精錬を依存している弱点がある。

今回の措置は、中国が米国に対抗するのが目的だろう。その点では、レアアースに対する準備をしてきた日本が米国の弱みを補える可能性がある。

レアアースが注目されるのは、電気自動車（ＥＶ）などでは強力な磁力を有する駆動モーターが必要だが、それにレアアースが欠かせないからだ。幸いにも、日本では、すでにレアアースなしでハイブリッド車（ＨＶ）用の駆動モーターを開発している。

もし、中国がＥＶでの覇権争いのためにレアアース輸出制限を仕掛けるのであれば、世界のＥＶ戦略を一部ＨＶに変更すればいい。

日米でＥＶ戦略を見直し、欧州連合（ＥＵ）が合成燃料「ｅ‐ｆｕｅｌ」を使うエンジン車の販売を例外としたように、対中対策でレアアースなしのＨＶを認めることも検討してはどうだろうか。中国によるレアアース生産と精錬は著しい環境破壊を招いており、日本によるレアアースなしのハイブリッドは環境に貢献するとのロジックだ。

もともとＨＶからＥＶ主導になったのは、欧米の自動車会社の戦略だった。

それに中国も乗ったのだが、ここに来て経済安全保障が重要になってきたので、その観点からＥＶ戦略を見直す好機と思ったほうがいい。まさにピンチはチャンスである。

学術会議「改革議論」の不可解　独立保つなら民営化 世界と比較しても奇妙な日本のアカデミー

政府は日本学術会議の会員選考方法について、第三者による選考諮問委員会を新設する法改正案の今国会への提出を見送る方針を決めた。学術会議側は法案提出を思いとどまるように求めていた。

学術会議（アカデミー）改革の経緯を整理しておこう。2000年頃、すべての行政機構の見直しがあったので、政府機関である日本学術会議も行革の対象だった。その際の議論のポイントは、従来のまま国の機関とするか、独立の法人格の団体（民営化）とするかであった。

政府に批判的な提言をするためには、後者の独立の法人格の団体のほうが望ましいという議論もあったが、結果として、日本学術会議の要望通りに、国の機関とされた。

ただし、中央省庁等改革基本法に基づく03年2月の総合科学技術会議の最終答申「日本学術会議のあり方について」では、「設置形態については、欧米主要国のアカデミーの在り方は理想的方向と考えられ、日本学術会議についても、今後10年以内に改革の進捗状況を評価し、より適切な設置形態の在り方を検討していく」とされている。その後、学術会議の巻き返しもあり、国の機関のままとされたようだ。

ただし、**欧米諸国のアカデミーは、ほとんどが独立の法人格の団体である。**政府から一部財政補助は受けているが、独自の財政基盤（会費徴収、寄付、調査受託など）を持っており、政府からの独立性を維持している。

「政府見直し案に世界のノーベル賞受賞者61人が懸念表明」という新聞報道があったが、答えた学者たちは日本のアカデミーが政府機関で、アカデミー会員が国家公務員だと知っているのだろうか。そういう事実を知らされずに、日本でアカデミー会員選考に政府が介入すると聞かされたから、勘違いして懸念を表明した人もいるだろう。

皮肉っぽくいえば、正しく「日本のアカデミー会員は国家公務員であるが、どう思うか」と聞き、それに懸念を表したのかもしれないが、ミスリードな伝え方になっている。いずれにしても政府批判ありきの的外れな報道だ。

独立性のためには民営化するのがいいはずなのに日本のアカデミーはどうして反対なのか、筆者にはさっぱりわからない。国の組織のほうが資金面で楽だからなのだろうか。

研究について民事と軍事のデュアルユースを認めないとか、東日本大震災時に増税を提言するなど、日本のアカデミーは世界のアカデミーと比較して奇妙だった。

さらにアカデミーは政府機関のままだが、人事を政府から自由にさせろという無理難題が加わった。

政府もおかしい。組織改編を避け、現状維持だが少し手直しをしてアリバイ作りをしようとした。今後、改めて民間法人化する案を含めて検討するとしているが、どこまで本気だろうか。

２０００年の省庁再編もそろそろガタが来て見直しの時期だが、誰も言い出さない。本件のほか、厚労省分割、歳入庁創設、放送独立委員会創設、海上保安庁改組などやることが山積だ。

本書は、高橋洋一氏の連載（『夕刊フジ』〈日本の解き方〉、『現代ビジネス』〈高橋洋一「ニュースの真相」〉、YouTube「高橋洋一チャンネル」）などをベースに再構成し、加筆・修正を行いまとめました。

【著者略歴】

高橋洋一（たかはし・よういち）

1955年東京都生まれ。数量政策学者。嘉悦大学大学院ビジネス創造研究科教授、株式会社政策工房代表取締役会長。東京大学理学部数学科・経済学部経済学科卒業。博士（政策研究）。

1980年に大蔵省（現・財務省）入省。大蔵省理財局資金企画室長、プリンストン大学客員研究員、内閣府参事官（経済財政諮問会議特命室）、内閣参事官（首相官邸）などを歴任。小泉内閣・第１次安倍内閣ではブレーンとして活躍。2008年に退官。菅義偉内閣では内閣官房参与を務めた。

『さらば財務省！』（講談社）で第17回山本七平賞を受賞。著書はほかに、『正しい「未来予測」のための武器になる数学アタマのつくり方』（マガジンハウス）、『高橋洋一式「デジタル仕事術」』（かや書房）、『国民のための経済と財政の基礎知識』（扶桑社）、『理系思考入門』（PHP 研究所）、『国民はこうして騙される』『プーチンショック後の世界と日本』（徳間書店）など多数。YouTube「高橋洋一チャンネル」でも発信中。


日本の常識は、世界の非常識！

これで景気回復、安全保障は取り戻せるのか

第１刷　2023年５月31日

著　者　　高橋洋一
発行者　　小宮英行
発行所　　株式会社徳間書店
〒141-8202　東京都品川区上大崎3-1-1
目黒セントラルスクエア
電話　編集（03）5403-4344／販売（049）293-5521
振替　00140-0-44392
印刷・製本　大日本印刷株式会社

ISBN978-4-19-865613-3